LE NOUVEAU
SANS FRONTIÈRES
PERFECTIONNEMENT

Jeanne VASSAL

SOCIÉTÉ - NOUVELLES TECHNOLOGIES - ÉCONOMIE

D1370236

CLE
international

LE NOUVEAU SANS FRONTIÈRES PERFECTIONNEMENT s'adresse à des étudiants avancés en langue française qui ont terminé l'étude du NOUVEAU SANS FRONTIÈRES 3 – ou capitalisé au moins 350 heures d'apprentissage du français – et souhaitent privilégier l'étude des aspects socio-économiques de la France contemporaine dans le contexte de l'Europe communautaire.

À la fin du XXe siècle, les préoccupations économiques et sociales ont cessé d'être le domaine réservé de quelques spécialistes et concernent désormais les Français dans presque tous les aspects de leur vie personnelle et professionnelle. La presse écrite, la radio et la télévision diffusent de plus en plus d'informations à caractère économique ou technologique et le langage de la rue n'échappe pas à cette contagion, reflet de nouvelles priorités et d'une nouvelle forme de culture.

Pour permettre à l'étudiant de ne pas se sentir perdu dans cette forêt touffue de mots et de concepts, le NOUVEAU SANS FRONTIÈRES PERFECTIONNEMENT se propose un triple objectif :
– dégager les grands axes autour desquels s'articulent les préoccupations socio-économiques de la société française contemporaine ;
– illustrer ces sujets à travers un ensemble de supports multimédias (écrits et audio-visuels) qui se complètent et se renforcent pour traduire la complexité de ces thèmes et la variété des réactions qu'ils suscitent ;
– proposer des méthodes et des moyens linguistiques destinés à en faciliter la compréhension et l'exploitation.
De plus, pour permettre aux étudiants de mieux cerner la réalité de la « France profonde », cet ouvrage se propose d'explorer – à travers le regard de la presse locale – six régions françaises, célèbres ou méconnues.

Le NOUVEAU SANS FRONTIÈRES PERFECTIONNEMENT est composé de six dossiers regroupés autour de trois grandes axes :
– Décor : le contexte français et européen à la fin du XXe siècle ;
– Acteurs : le « citoyen-consommateur » et le « citoyen-producteur » qui évoluent dans ce décor en rapide mutation ;
– Enjeux : l'environnement, la culture et l'éthique, trois des enjeux majeurs auxquels ces acteurs se trouvent confrontés.
Chaque dossier comporte les éléments suivants :
– un SOMMAIRE détaillé ;
– une partie intitulée FAITS ET RÉFLEXIONS qui regroupe les informations nécessaires à la compréhension globale des problèmes étudiés ;

REMERCIEMENTS L'auteur tient à remercier particulièrement :
Jean VASSAL, pour sa contribution dans le choix et le commentaire des matériaux de cet ouvrage,
Alex CORMANSKI, pour son aide dans la mise au point de l'exploitation des documents audio et vidéo.

© CLE INTERNATIONAL, 1994 – ISBN 2.09.033487.8

– quatre ou cinq THÈMES qui abordent chacun un aspect important du sujet traité ;

– quatre pages consacrées à une RÉGION.

Chaque thème – précédé par une introduction qui présente et explique le sujet – est illustré par un ensemble très varié de supports authentiques :

– des documents écrits : extraits de presse issus de quarante-quatre supports nationaux et régionaux, commentaires et réflexions empruntés à certains des meilleurs essayistes français contemporains, résultats d'enquête, lettres, photos, dessins humoristiques, etc. ;

– des extraits d'émissions de la radio française (douze sujets regroupés dans une cassette audio de quarante-cinq minutes) ;

– des émissions télévisées authentiques (dix-huit sujets composant une cassette vidéo d'une heure).

Ces matériaux sont accompagnés d'un important appareil d'exploitation :

  • Dans **le livre de l'élève :**

Pour chaque document écrit ou audio-visuel :

– une rubrique VOCABULAIRE explique les termes nouveaux, les expressions idiomatiques, les sens dérivés ;

– une rubrique REPÈRES explicite les termes professionnels ou techniques ainsi que les noms propres et les sigles ;

– des questions d'exploitation – organisées selon une démarche méthodique empruntée à la théorie de l'information – permettent une analyse approfondie et une exploitation dynamique des contenus.

UN INDEX GÉNÉRAL DES CONTENUS permet une étude thématique et sélective de l'ouvrage.

  • Dans **le cahier d'exercices :**

Pour chacun des six dossiers :

– des pages d'informations (données quantitatives, cartes, références, explications) complètent les repères du livre de l'élève et constituent une base de données à laquelle l'étudiant peut se référer à tout moment ;

– des questions de vocabulaire explorent les champs lexicaux abordés dans le dossier ;

– des auto-tests de grammaire donnent à chaque étudiant l'occasion de faire le point de ses connaissances et d'en déduire un plan de révision personnel ;

– des apports méthodologiques permettent de mieux tirer partie des documents authentiques, et certains points traités (dégager le plan d'un texte, prendre des notes, préparer un compte rendu, une synthèse, etc.) correspondent aux savoir-faire indispensables à ceux qui souhaitent préparer les unités A5 et A6 du DELF, les épreuves du DALF ou les examens spécialisés de français des affaires.

Nous espérons ainsi que les utilisateurs du **NOUVEAU SANS FRONTIÈRES PERFECTIONNEMENT** se sentiront parfaitement à l'aise quand ils voudront utiliser les médias français ou discuter de sujets d'actualité avec des interlocuteurs francophones.

SOMMAIRE

DÉCOR

Ce premier dossier permet de planter le décor où évoluent les acteurs des profonds bouleversements qui marquent la vie économique et sociale française, à la charnière de deux millénaires.

**À VOIR
DANS LE CAHIER D'EXERCICES**

S'informer :
repérer les éléments,
identifier qui dit quoi.

Rédiger :
une fiche de lecture,
une grille de prise de notes.

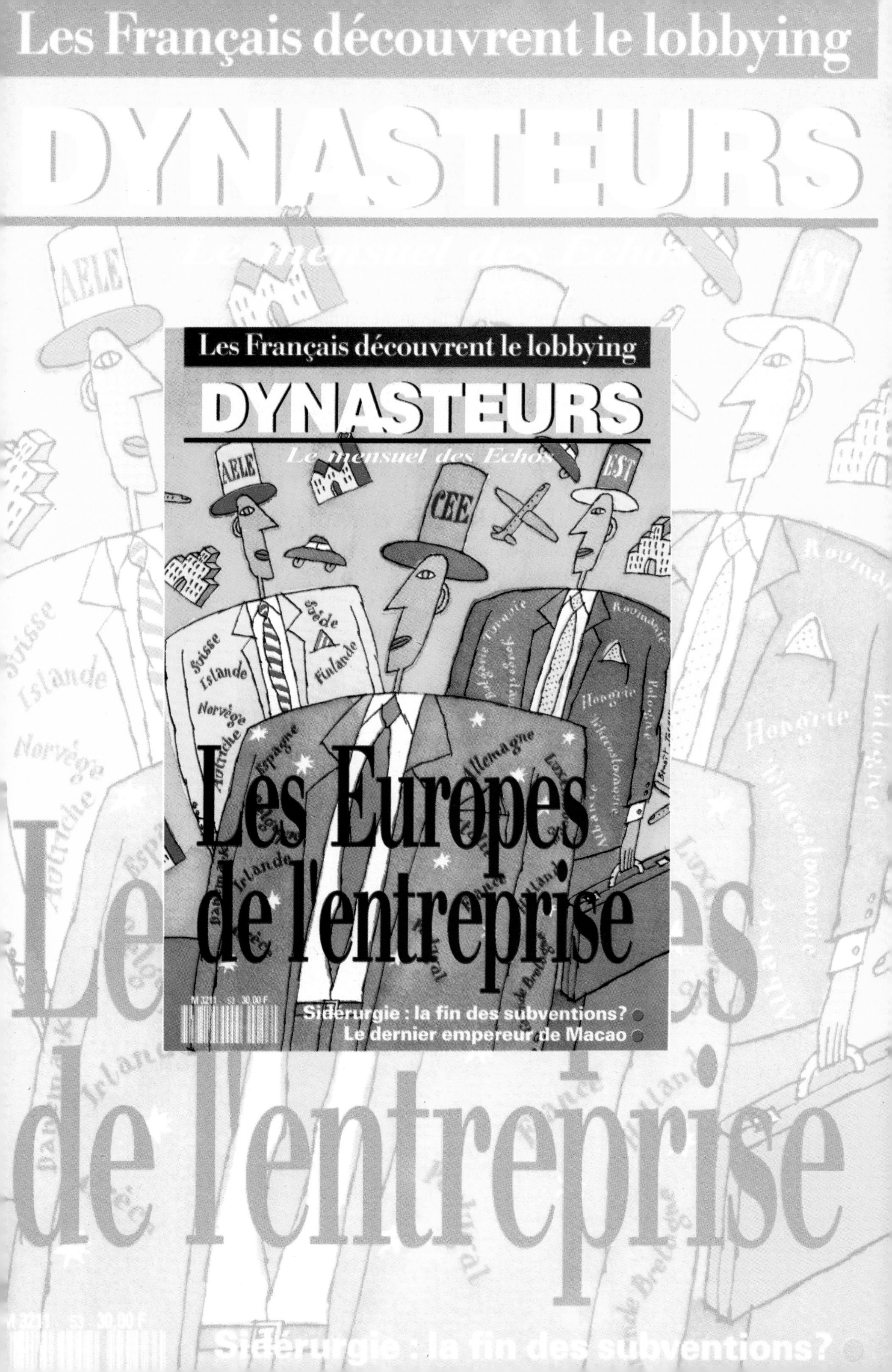

Les Français découvrent le lobbying

DYNASTEURS

Le mensuel des Echos

AELE

CEE

EST

Les Europes de l'entreprise

M 3211 - 53 - 30,00 F

Sidérurgie : la fin des subventions?
Le dernier empereur de Macao

Le paysage français de cette fin du XXe siècle est marqué par de profonds bouleversements : après les « Trente Glorieuses » – les trois décennies de croissance économique qui ont suivi la fin de la Seconde Guerre mondiale –, après les triomphes matérialistes des années 80, le deuxième millénaire s'achève sur une profonde remise en question des certitudes qui ont accompagné le développement économique dans les pays industrialisés et les progrès ininterrompus de la science et de la technologie.

La naissance et la mort des mots traduisent ces mutations au cœur de la langue française, témoin et reflet fidèle du « grand chambardement ».

SOCIÉTÉ : LE GRAND CHAMBARDEMENT

Ordinateurs, téléphone, télévision, jeux vidéo imprègnent leur cerveau
NOS ENFANTS SONT-ILS DES MUTANTS ?
Existe-t-il, comme jamais, un « fossé des générations » ? Nos enfants, bombardés de stimulations multiples, ne sont-ils pas en train d'acquérir de nouvelles structures mentales ?
Le Point, n° 999, 9.11.1991.

Un métier, une technologie, c'est fini
NE RATEZ PAS VOTRE SAUT TECHNOLOGIQUE !
Le panachage des techniques est de rigueur. Ce n'est pas une affaire de mode mais de survie.
L'Entreprise, n° 80, 5.1992.

La France est-elle en train d'accoucher d'une « génération morale »?

LE « RIEN NE VA PLUS ! » D'ALAIN TOURAINE
Dans *Critique de la modernité*, le prince de nos sociologues, Alain Touraine, s'inquiète pour l'équilibre d'une société où se creuse l'écart entre politiques, producteurs et consommateurs.
Le Point, n° 1058, 24.12.1992.

LES NOUVEAUX RÊVES DES AMBITIEUX
La nouvelle ambition ne dévore pas. Elle est soft*. On s'économise. On prend le temps de vivre. Dans les années 90, on ne brûle plus la chandelle par les deux bouts.
Le Nouvel Observateur, 28.1. au 3.2.1993.

S'INFORMER
1. Quelle transformation évoque chacun de ces extraits de presse ?
2. Repérez dans chaque extrait les termes employés par le journaliste pour « accrocher » le lecteur.

APPRÉCIER
3. Pour chaque extrait, précisez s'il exprime une position favorable, défavorable ou neutre par rapport au changement. Justifiez votre avis.

INFORMER
4. Le « grand chambardement » : si vous aviez à composer une double page de titres et d'informations pour illustrer les changements les plus significatifs qui marquent la fin du millénaire dans votre pays, quels thèmes choisiriez-vous ? Pourquoi ?

VOCABULAIRE
soft : *(angl.)* doux, douce

ÉCONOMIE :
LE MONDE VA CHANGER DE BASES

ET SI LES AGENTS ÉCONOMIQUES* AVAIENT PRIS CONSCIENCE QUE NOUS ÉTIONS À UN TOURNANT HISTORIQUE ? ET SI COMMENÇAIT SOUS NOS YEUX UNE NOUVELLE ÈRE ÉCONOMIQUE ?

Aujourd'hui, la technologie bouleverse la division internationale du travail et l'informatisation poussée des sociétés modernes entre véritablement en application.

Jadis, notre mauvaise conscience de riches était sollicitée pour les « pauvres petits Chinois » qui mouraient de faim. Aujourd'hui, nous payons d'une autre manière et plus cher. Tout se délocalise*, y compris les services. Parallèlement, notre propre croissance tue l'emploi. Nous pouvons aller vers des aciéries sans ouvriers, des supermarchés sans caissières, des bureaux sans secrétaires. […]

Il y a deux voies possibles pour accompagner ces mutations. Continuer à penser le développement économique sur des schémas du passé et laisser la société se couper définitivement en deux. C'est la porte ouverte aux révoltes des canuts* modernes. […] Notre cohésion sociale – condition essentielle de notre compétitivité économique – volerait alors en éclats.

L'autre voie consiste à ouvrir le débat social et à repenser en termes neufs les échanges : consommation contre travail, travail contre temps libre, besoins solvables contre besoins nouveaux. Il ne s'agit pas de revenir au triste « poinçonneur des Lilas* » mais de s'interroger sur les besoins nouveaux de nos sociétés et de les rendre solvables. Ainsi se recréeront des solidarités sociales.

Olivier Jay, *Enjeux-Les Échos*, 5. 1993.

REPÈRES

un agent économique : une personne ou un groupe qui participe au processus économique (producteurs, consommateurs, ménages, collectivités, État, etc.)

délocaliser : implanter une usine ou des bureaux dans une région ou un pays éloigné afin de bénéficier d'avantages locaux (salaires plus bas, incitations fiscales diverses)

la révolte des canuts : en 1831, les ouvriers de l'industrie de la soie à Lyon se révoltèrent pour défendre leurs salaires

le poinçonneur des Lilas : allusion à une chanson sur un employé du métro parisien chargé de poinçonner les tickets des voyageurs à l'entrée du quai de la station Porte des Lilas ; les poinçonneurs ont été remplacés par des machines

S'INFORMER

1. Lisez le titre et le chapeau de l'article : que pouvez-vous en déduire sur le sujet de cet éditorial ? Quelles expressions traduisent l'importance du problème ?

2. Repérez dans le texte les deux facteurs qui caractérisent la « nouvelle ère économique ». Quels paragraphes traitent de ces facteurs ?

3. Identifiez les deux voies qui s'ouvrent pour accompagner ces mutations : laquelle de ces voies recommande l'auteur ? Pour quelle raison ?

ANALYSER
COMPARER

4. D'après Olivier Jay, comment a évolué la relation entre les pays riches et les pays « pauvres » ?

5. Olivier Jay illustre la disparition des emplois par plusieurs exemples : précisez, pour chacun d'eux, à quel secteur appartiennent les activités citées (services, industrie, commerce).

6. « Laisser la société se couper définitivement en deux » : que signifie cette expression ?

7. Pouvez-vous citer des exemples de besoins nouveaux, non indispensables, nés du progrès technique ?

8. Pensez-vous que cette analyse s'applique à la situation de votre pays ? Pourquoi ?

INFORMER

9. Présentez, en utilisant vos propres termes, la thèse de cet article.

LANGUE FRANÇAISE :
VIE ET MORT DES MOTS

L'OPINION D'ALAIN REY, LEXICOLOGUE,
DIRECTEUR LITTÉRAIRE DES DICTIONNAIRES LE ROBERT.

Y a-t-il des éléments positifs dans la manière dont notre langue évolue ?
A. Rey. – Le fait même qu'elle évolue en est un. Si l'on refuse les changements, on se prépare une agonie à la manière latine, un embaumement. Le français deviendra une langue morte de culture. Être une langue en danger, c'est être une langue vivante.

La masse des emprunts ne vous gêne donc pas ?
A. Rey. – Ce sont des échanges naturels et normaux. Si l'on parle de l'américanisme dans la langue française, je suis d'accord avec les gens qui le dénoncent sur un point essentiel : il n'est pas sain que ces emprunts viennent d'une source unique. J'aimerais beaucoup mieux que l'on ait en français 30 % d'emprunts aux langues germaniques, 30 % aux langues slaves, 30 % aux langues romanes. C'est une vue de l'esprit, mais qu'il y ait un peu plus d'emprunts à l'italien et à l'espagnol ne serait certes pas mauvais.

Le mot nouveau doit être jugé en fonction de ce qu'il exprime. Si ce qu'il exprime est parfaitement exprimé par un mot français antérieur, on a raison de se jeter sur l'intrus et de lui faire la peau■, mais, s'il s'agit d'une réalité nouvelle ou même d'un emprunt de snobisme qui amuse, pourquoi pas ? Ce qui a changé, ce n'est pas tant les mécanismes de la langue que la diffusion des nouveautés. Au XVIIe siècle, pour qu'un mot se répande de Paris dans toute la France, il fallait trente ans. Au XIXe siècle, avec la presse quotidienne, il ne fallait plus qu'un semaine ou même deux jours, aujourd'hui, il faut cinq minutes.

Évidemment, le développement des anglicismes nous paraît monstrueux parce que, dans la perception des évolutions, il n'y a plus qu'eux. Si l'on fait des statistiques, on s'aperçoit que c'est trop excessif. Il y a des dérapages, des excès, des phénomènes de saturation, mais la société insensiblement trie, construit, débloque.

Propos recueillis par Marie-Françoise Leclère, *Le Point,* n° 1049, 24.10.1992.

VOCABULAIRE

lui faire la peau : *(populaire)*
l'assassiner

S'INFORMER

1. Quel danger court une langue qui n'évolue pas ?

2. Que pense Alain Rey de l'américanisation de la langue française ?

3. À quelles conditions peut-on, d'après lui, accepter l'usage d'un mot nouveau ?

4. Qu'est-ce qui distingue l'évolution de la langue française dans le passé et aujourd'hui ?

ANALYSER
COMPARER

5. Pouvez-vous citer des mots français empruntés à votre langue maternelle ou à d'autres langues étrangères ? Pour quelques exemples, vérifiez, à l'aide d'un dictionnaire, si l'adoption de ce mot a bien répondu à l'une des conditions posées par Alain Rey.

6. « Être une langue en danger, c'est être une langue vivante » : cette affirmation s'applique-t-elle à votre langue maternelle ?

LES MOTS

Le journaliste Pierre Bouteiller s'entretient avec Alain Rey, directeur littéraire des dictionnaires Robert, à l'occasion de la parution de son *Dictionnaire historique de la langue française* (2 400 pages et 40 000 articles).

Pin's : *n. m. invar.* (v. 1985; angl. *pin* « épingle »). *Faux anglic.* Petit insigne décoratif qui se pique (sur le vêtement, la coiffure). *Collectionner les pin's. Un pin's.* – Recomm. offic. *Épinglette.* V. **Affiquet.**
D'après le *Petit Robert,* 1992.

Stretching : *n. m.* (1982 ; mot angl., de *to stretch* « étendre »). *Anglic.* Gymnastique douce basée sur des exercices d'étirement du muscle.
D'après le *Petit Robert,* 1992.

S'INFORMER REGARDER

Dans ce reportage deux personnes s'entretiennent assises l'une en face de l'autre. Notez leurs expressions et leurs gestes, leur tenue vestimentaire ainsi que le décor.

1. Quelle(s) hypothèse(s) pouvez-vous faire sur les deux personnes (statut, profession) et sur le type d'émission (reportage, journal télévisé, documentaire, interview...) ?

2. Pouvez-vous qualifier leur entretien à partir de vos observations : courtois, agressif, relâché...?

S'INFORMER ÉCOUTER

3. Repérez les différents thèmes de l'interview. En concentrant votre attention cette fois sur le verbal, et en tenant compte de vos observations précédentes sur le non-verbal, donnez quelques exemples de passages où le non-verbal (mimique, gestes...) renforce le verbal.

4. Quels autres pays francophones A. Rey cite-t-il, et quelle est leur attitude face au problème évoqué ?

5. Au cours de l'interview, A. Rey utilise, à propos du « traitement » de la langue, des mots qui l'assimilent directement à deux fonctions précises : quels sont ces mots et parallèlement ces deux fonctions ?

ANALYSER COMPARER

6. Comparez les réponses d'A. Rey dans cette interview et celles qu'il a faites au magazine *Le Point* (voir p. 10) : quelles sont les informations communes ? Quels sont les apports originaux de chacun de ces deux supports ?

INFORMER

7. Résumez l'interview d'A. Rey.

La technologie permet désormais de communiquer instantanément (par la voix, l'écrit et l'image) à travers toute la planète.

Les limites entre vie privée et vie professionnelle disparaissent peu à peu, rognées par le télécopieur ou le téléphone portable. Et les hommes – harcelés par l'information – doivent s'inventer des défenses originales contre ces nouveaux despotismes.

Les trains à grande vitesse, qui sillonnent désormais l'Europe, déforment l'espace-temps des pays traversés et dessinent de leurs réseaux la nouvelle géographie de l'an 2000.

HALTE AU HARCÈLEMENT FAXUEL * !

L'été dernier, Gilles a acheté une voiture d'un modèle plus spacieux pour partir en vacances. Le poisson rouge, les planches à voile, la télévision, le chien, les enfants et sa femme prenaient pourtant toujours place. Mais cette fois-ci, il y eut deux invités supplémentaires, plutôt encombrants, faisant l'objet de soins méticuleux : un fax* et un micro-ordinateur portable qui exigent d'être à l'aise et bien calés à l'arrière. Accueillis avec des cris de joie, « quand il pleuvra, les enfants pourront se servir du micro », les deux nouveaux venus furent très vite victimes d'un rejet total. « Papa joue plus avec eux qu'avec nous », fut le sentiment général. [...]

L'absence de frontière entre maison et bureau a toujours caractérisé certaines professions. Journalistes, universitaires, professeurs, écrivains ont rarement une notion sacro-sainte du repos dominical et ne posent pas souvent le stylo à 18 h 30. Le fait d'être hors de toute hiérarchie, d'effectuer un travail de dossiers et de réflexion, a supprimé l'idée même d'un lieu de travail. On peut écrire ou réfléchir sur un banc public, dans un café, à la plage ou à la montagne.

Mais, la nouveauté, avec l'arrivée des téléphones mobiles, des Alphapage*, des télécopieurs, fait qu'un nombre croissant de salariés, autrefois à l'abri, sont sollicités n'importe où et n'importe quand.

Pour Yves Lasfargues, directeur du centre de recherche de l'Institut français de gestion*, ces moyens sont d'autant plus dangereux qu'au départ ils sont séduisants et valorisants. « Le président de la République, les ministres, les P-DG* ne sont jamais complètement coupés de leurs occupations. Ils doivent être joignables à tout moment. Être comme eux, c'est un peu emprunter leur importance, être aussi irremplaçable. » Les cadres supérieurs habitués à la mondialisation des échanges savent depuis longtemps que, pour joindre un client japonais ou américain, il faut téléphoner à 3 heures du matin, décalage horaire oblige. Mais même des cadres plus modestes, qui n'en demandaient pas tant, sont à présent touchés par le harcèlement faxuel. Sachant qu'il existe en France 450 000 téléphones mobiles et que 1 % de la population en est équipée, Yves Lasfargue évalue à 30 % les salariés poursuivis dans leur intimité par les moyens modernes de communication. Responsables : la hiérarchie et les organisations à flux tendu*, où il faut des réponses immédiates.

Les foyers de célibataires ou de personnes seules ressentent cette intrusion de leur entreprise dans leur vie privée très différemment d'un père ou d'une mère de famille chargée d'enfants. Ceux qui travaillent à domicile savent bien les trésors

VOCABULAIRE

le harcèlement faxuel : expression calquée sur le « harcèlement sexuel » (pressions sexuelles dont sont parfois victimes les femmes qui travaillent de la part de leurs collègues ou de leurs supérieurs hiérarchiques masculins) Ici « sexuel » est remplacé par le néologisme « faxuel », adjectif dérivé de *fax*, mot anglais pour « télécopieur »

le ras-le-bol : (pop.) l'exaspération due à un excès qu'on ne peut plus supporter

« un coup de fil ça va, tous les jours, bonjour les dégâts » : référence au slogan d'une célèbre campagne nationale de lutte contre les méfaits de l'alcool : *« un verre, ça va ; trois verres, bonjour les dégâts »*

REPÈRES

le fax : (angl.) un télécopieur, appareil qui permet la transmission instantanée de messages écrits par l'intermédiaire du réseau téléphonique

un Alphapage : marque d'un système de radio-messagerie qui transmet à un petit récepteur un signal avertissant le porteur qu'un correspondant souhaite le contacter

l'Institut français de gestion (IFG) : l'un des plus importants centres de formation réservés aux cadres et dirigeants d'entreprises

un P-DG : un président-directeur général ; il préside le conseil d'administration d'une société anonyme

une organisation à flux tendu : un système d'organisation des entreprises qui cherche à réduire au minimum les attentes entre la prise de commande, la production et la livraison, tout en essayant de supprimer les stocks

d'ingéniosité qu'il leur faut déployer pour faire respecter par leur entourage une zone de tranquillité pour l'exercice de leur profession. Lorsque les progrès techniques (ou les contraintes) ne tracent plus de frontière entre le bureau et la chambre, un ras-le-bol[■] risque de s'installer. En vacances, un coup de fil ça va, tous les jours, bonjour les dégâts[■].

L'ambiguïté de ce « progrès » se voit par le mode d'utilisation détourné et inattendu du répondeur téléphonique. Créé pour prendre les messages pendant l'absence du destinataire afin que ce dernier ne soit jamais déconnecté, il joue à présent le rôle de filtre pour ceux qui, restant chez eux à proximité de l'appareil, ne veulent pas être dérangés.

Astuce pour aller vite et gagner du temps, c'est devenu une astuce pour ne pas être joint. Troublante technologie qui règle un problème que la technologie a posé. Il est temps, grand temps d'inventer un nouveau code, une nouvelle déontologie, qui ne fasse pas de ces appareils des tyrans. Faute de quoi, de bons serviteurs ils deviendraient de mauvais maîtres.

Liliane Delwasse, *Le Monde*, 24.2.1993.

S'INFORMER

1. Exprimez en une phrase l'idée principale de chaque paragraphe.

2. À l'aide du tableau, relevez tous les moyens de communication cités dans l'article :

Moyen	Informations transmises	Avantages
Radio-messagerie	Code, numéro de téléphone ou message bref du correspondant	Peut être utilisé partout

3. Quelles sont les personnes soumises au « harcèlement faxuel »? Comment se défendent-elles ? Qui en souffre le plus ? Pourquoi ?

APPRÉCIER

4. En quoi le premier paragraphe de l'article est-il différent de la suite du texte ? Quelle est son utilité ?

ANALYSER COMPARER

5. Analysez les motivations et les réactions des travailleurs à domicile « traditionnels » (écrivains, journalistes, etc.) et celles des cadres moyens harcelés chez eux par leur employeur.

6. Comparez le fax et la lettre classique : à quels besoins répondent-ils ? comment les utilise-t-on ? Quels sont les avantages et les inconvénients pour celui qui écrit ? Pour le destinataire ?

IMAGINER

7. Imaginez les règles du nouveau code de déontologie dont parle l'auteur de l'article.

INFORMER

8. Si vous vous trouvez dans l'une des situations décrites dans cet article, présentez votre cas et dites comment vous réagissez.

CONVAINCRE

9. Vous voulez convaincre un de vos collaborateurs d'emporter chez lui un fax ou un micro-ordinateur qui lui permettra de rester en contact permanent avec l'entreprise. Jouez la scène.

LA GRANDE VITESSE ET LES MODIFICATIONS DE L'ESPACE-TEMPS

NOTRE PERCEPTION DE L'ESPACE EST MODIFIÉE PAR LE TGV, LE TRAIN À GRANDE VITESSE.

Actuellement, un Parisien met sept heures pour rallier Nice. En l'an 2000, un Londonien mettra le même temps pour se rendre à Barcelone, via la vallée du Rhône. Pour rendre compte de cette modification de l'espace-temps, nous avons choisi de dessiner l'Europe de l'Ouest comme si le seul mode de transport était le train. Les déformations sont spectaculaires. La Grande-Bretagne, l'Italie et surtout le Danemark s'étirent sous l'effet du rapprochement coordonné de Londres, Milan, Rome, Copenhague et Hambourg. À l'inverse, en faisant du surplace, des cités comme Exeter, Bari et Aarhus apparaissent rejetées dans une lointaine périphérie. [...]

L'Europe du train ville la plus centrale moyen de 40 heures. 17 heures.

1987, c'était un temps minimal de 10 heures en moyenne, en partant de la pour accéder à toutes les autres villes, et un temps maximal En 2015, le minimum est de 5 h 30, le maximum, de

Libération, 15.6.1990.

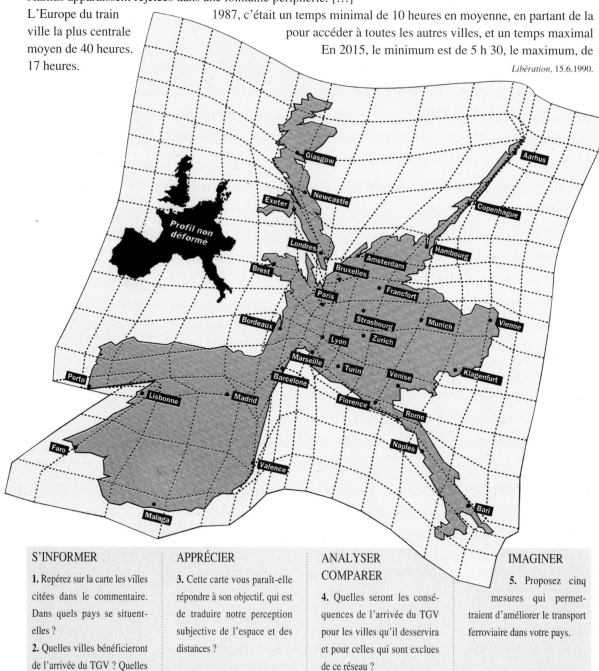

Profil non déformé

S'INFORMER	APPRÉCIER	ANALYSER COMPARER	IMAGINER
1. Repérez sur la carte les villes citées dans le commentaire. Dans quels pays se situent-elles ? **2.** Quelles villes bénéficieront de l'arrivée du TGV ? Quelles villes seront pénalisées ?	**3.** Cette carte vous paraît-elle répondre à son objectif, qui est de traduire notre perception subjective de l'espace et des distances ?	**4.** Quelles seront les conséquences de l'arrivée du TGV pour les villes qu'il desservira et pour celles qui sont exclues de ce réseau ?	**5.** Proposez cinq mesures qui permettraient d'améliorer le transport ferroviaire dans votre pays.

ROISSY EN GRÈVE

S'INFORMER

1. Où se situe la scène ? À quel moment ?

2. Que s'est-il passé ? Comment réagissent les personnages ?

APPRÉCIER

3. Qu'y a-t-il de comique dans cette planche ?

EXPLIQUER

4. Vous devez rencontrer un client important, mais « Roissy est en grève » et vous n'arriverez pas à temps à votre rendez-vous. Vous téléphonez au client pour vous excuser. Jouez la scène.

CONVAINCRE

5. Partisans du train et partisans de l'avion s'affrontent : préparez en sous-groupe une liste comparative des avantages et des inconvénients de ces deux modes de transports collectifs en fonction de différents critères (distances, accès, prix, etc.) puis jouez le débat.

Produire ailleurs : la guerre économique est d'abord une guerre des prix. Lorsque les contraintes locales – niveau des salaires, impôts, horaires de travail – deviennent un frein à la compétitivité, les entreprises françaises, jadis casanières, n'hésitent plus à « délocaliser », c'est-à-dire à implanter leurs unités de production dans des pays – même lointains – qui leur offrent des conditions plus avantageuses. Le développement des communications, la rapidité des transports rendent la délocalisation accessible aux petites entreprises. Travailler ailleurs : quand le marché du travail intérieur se rétrécit, chercher un emploi à l'étranger devient pour certains une nécessité. Longtemps terre d'accueil pour les travailleurs étrangers, la France – chômage oblige – exporte de plus en plus ses actifs vers d'autres pays francophones ou européens.

Produire ailleurs

LA GUERRE DANS LA DENTELLE

Le Puy-en-Velay, paisible cité de Haute-Loire*, couve sous ses airs assoupis une guerre sans merci. La production de la dentelle, grande tradition locale et principale attraction touristique de la région, est en effet à l'origine de vives tensions (complaisamment entretenues par la presse locale) entre partisans de la production en Auvergne et adeptes de la délocalisation*.

Pour les 5 000 touristes qui se retrouvent tous les mois d'août au Puy-en-Velay, cela ne fait aucune différence, puisque les étiquettes n'indiquent pas la provenance des produits qu'ils achètent. […]

Face à ce qu'elle considère comme une trahison, Mme Boyer-Manet, elle-même dentellière, ne décolère pas. « On trompe le client en vendant de l'ersatz pour de l'authentique », déclare-t-elle pour ensuite marteler : « A-t-on jamais félicité un antiquaire de vendre une copie pour un meuble d'époque, un marchand d'accrocher des faux ? Devrait-on décorer les faux-monnayeurs ? Il me semble qu'en matière de dentelle certains le souhaitent ! »

Devant la loi, ce mensonge par omission est parfaitement légal […]. En effet, l'appellation d'origine* « Puy-en-Velay », contrairement à ce que l'on pourrait croire, ne porte pas sur la provenance géographique, mais sur la technique employée, le dessin utilisé. Les patrons* des dentelles locales une fois expatriés en Chine, les méthodes et les machines une fois maîtrisées par les producteurs asiatiques, plus rien n'empêche donc un commerçant auvergnat de vendre, pour de la « dentelle du Puy », un ruban confectionné à Taïwan. Et comme seul un spécialiste paraît réellement capable de distinguer un napperon « made in China » d'une dentelle « bien de chez nous », les produits du « terroir vellave », beaucoup plus chers que leurs homologues asiatiques, pourraient ne plus en avoir pour longtemps. […]

REPÈRES

la délocalisation : politique qui consiste à délocaliser

la Haute-Loire : département de la région Auvergne, situé au centre de la France

une appellation d'origine : désignation d'un produit par le nom du lieu dont il provient (correspond à la formule anglaise : *made in*) ; l'appellation d'origine est le plus souvent contrôlée par la loi « appellation contrôlée ».

VOCABULAIRE

un patron : un modèle à reproduire

vouer quelqu'un aux gémonies : l'accabler publiquement de critiques, de mépris (par référence aux *Gémonies* romaines, l'« escalier des gémissements » sur lequel on exposait les cadavres des condamnés avant de les jeter dans le Tibre)

un attachement viscéral : un attachement profond, physique

André Rieger, souvent voué aux gémonies[*] par les défenseurs de la tradition pour avoir vendu de la marchandise chinoise, précise : « L'importation de dentelle chinoise a toujours été une tradition […]. Je m'y suis mis en 1978, lorsque la qualité du travail de nos dentellières est devenue trop médiocre, et nos stocks trop faibles. » Le vieillissement des dentellières est en effet évident. Et là aussi, il y a crise de vocations. Ainsi, alors qu'au début du siècle elles représentaient 100 000 personnes sur 300 000 dans la Haute-Loire, il n'en reste plus aujourd'hui qu'une centaine, qui ne seront sans doute pas remplacées. […]

« Cette petite ville ne peut pas supporter l'idée de la moindre modernisation. Pendant ce temps, nos concurrents de Bruges et de Murano n'ont, eux, aucun complexe. Ils ont compris que la différence entre deux dentelles se fait au niveau prix puisque méthodes et dessins sont désormais internationaux. Mais je me battrai jusqu'au bout pour mon métier, contre ceux qui, par leur conservatisme, menacent de faire disparaître notre tradition. Ce sont eux les coupables », affirme M. Rieger, retournant l'argument de ses détracteurs contre eux. Lorsque l'on sait qu'un napperon demandant quatre jours de travail coûte 4 800 F s'il est produit en France contre 49 F lorsqu'il l'est en Chine, une telle détermination s'explique aisément.

Cette « guerre de la dentelle » n'est sans doute pas close. Elle peut paraître folklorique. Son histoire est pourtant celle, lente et secrète, d'un déclin, avec tous ses symptômes : une petite ville qui vieillit, un métier qui meurt, un attachement viscéral[*] au terroir.

Nicolas Gillain, *Le Quotidien de Paris*, 14.8.1992.

S'INFORMER

1. À l'aide du titre et des deux premiers paragraphes, identifiez : le lieu où se situe l'action, l'activité artisanale dont il est question et le problème posé.

2. Quel est l'enjeu de cette « guerre dans la dentelle » ? Quelles sont les deux thèses en présence ? Qui défend chaque thèse ? Quels sont les arguments utilisés par les deux clans ? Quels sont les sentiments des protagonistes ? Comment s'expriment-ils ?

APPRÉCIER

3. L'article vous paraît-il objectif : Présente-t-il de manière équilibrée les deux thèses en présence ? Quelle place fait-il à l'information brute et au commentaire du journaliste ?

ANALYSER
COMPARER

4. Dans cette guerre, qui, selon vous, a raison ? Justifiez votre opinion.

5. Existe-t-il dans votre pays des activités qui connaissent le sort de la dentelle du Puy ? Comparez les deux situations.

INFORMER

6. Vous souhaitez interviewer Mme Boyer-Manet et M. Rieger : préparez les questions que vous aimeriez leur poser.

7. Mme Boyer-Manet vous demande de rédiger une affichette pour « dénoncer le scandale ». Cette affichette sera apposée sur les vitrines des commerçants locaux.

EXPLIQUER

8. Copies et produits d'origine : choisissez un produit souvent copié de votre industrie et rédigez une fiche de conseils destinée aux acheteurs francophones pour les aider à éviter les contrefaçons.

Travailler ailleurs

S'EXPATRIER AU CANADA

3 000 Français se sont installés au Canada en 1992

« On a choisi le Québec pour démarrer une nouvelle vie. » La Belle Province recherche désespérément des francophones pour son industrie, ses secteurs de pointe, mais aussi son commerce, son hôtellerie. « Y'en a marre■ d'être ici, on s'en va ! » Sur ce credo■ unanime, ils ont tout quitté, pour se retrouver une valise sous le bras, un gamin sous l'autre, dans un aéroport international. Celui de Mirabel, à quelques kilomètres de Montréal au Québec, aura vu défiler depuis 1986 plus de 10 000 émigrés volontaires en provenance de France.

VOCABULAIRE

en avoir marre : (populaire) en avoir assez

sur ce credo : sur ces principes

une chambre d'esthétique : (canadien) un salon de beauté

Nicole est arrivée au Canada il y a deux ans : « Et je ne veux plus retourner en France ! » Sa « chambre » d'esthétique■ a pignon sur rue à Montréal. Elle travaille avec des Québécois dont elle apprécie la bonhomie. Une chaleur humaine qui fait du bien, quand le thermomètre affiche moins 30 °C dehors. Mais Nicole, Rochelaise, s'est vite adaptée : « Patiner sur les lacs gelés, c'était un rêve d'enfance pour moi. Au mois de février sous un beau soleil, ici c'est le paradis ! »

« J'ai tout de suite pogné la piqûre[■]. C'était en 1981, j'étais une simple touriste. Puis, je suis revenue en 1983 et je suis tombée en amour[■] avec un Québécois ! Alors je suis restée, je me suis mariée et j'ai eu deux enfants. J'ai trouvé du travail facilement », raconte Véronique, Canadienne d'adoption. « À l'époque, ce qui me faisait ben triper[■], c'était l'ouverture d'esprit des Québécois. Je les trouvais tellement loin des Français et de leur mentalité à œillères. Je me sentais revivre dans cette petite société française perdue sur le gros continent américain. Et puis, j'aimais l'espace. Moi, je viens de la campagne, du côté de Toulouse. J'ai toujours apprécié la nature. Et Montréal n'a pas l'atmosphère étouffante des villes européennes. Mais en 1988, le spleen m'a pognée[■]. J'en avais marre de l'hiver, marre du mari… Je suis rentrée en France. Là ce fut le choc ! J'ai voulu monter une petite compagnie[■], échec complet. Et puis la neige s'est mise à me manquer… et je suis revenue au Québec.

Je me suis remariée et j'ai eu un troisième bébé. Je n'ai plus d'emploi, je suis actuellement une formation en micro-informatique. Cela dit, je ne sais pas si c'est une question d'attitude, mais j'ai toujours trouvé un emploi quand je le voulais. J'ai toujours fureté à droite à gauche en privilégiant ma famille sans trop chercher de sens à ma carrière. En fait c'est très québécois comme attitude. Même si, parfois, on me fait encore remarquer que je suis toujours une « maudite » Française. Faut juste laisser couler[■]… »

Pascale Pontereau et Éric Le Braz, *Rebondir,* n° 1, janvier 1993.

j'ai pogné la piqûre : *(can.)* j'ai été séduite

je suis tombée en amour : *(can.)* je suis tombée amoureuse

ce qui me faisait ben triper : *(can.)* ce qui me séduisait, me plaisait beaucoup

le spleen m'a pognée : *(can.)* la nostalgie m'a saisie, empoignée

une compagnie : *(can.)* une société, une entreprise

faut juste laisser couler : *(can.)* il faut juste laisser dire, laisser faire

GROS PLAN SUR L'OMI

Ils sont 1 400 000 Français qui travaillent à l'étranger. Et ce n'est pas toujours facile : il faut s'adapter à des usages professionnels différents, résoudre des problèmes familiaux, matériels, juridiques. Pour assurer le relais entre les entreprises à vocation internationale et les expatriés, des structures existent, qui facilitent les échanges et les contacts. L'OMI (Office des migrations internationales) est l'une des plus actives dans ce domaine.

S'INFORMER

1. Quelles raisons poussent les Français à s'expatrier au Canada ?

2. Les Français cités dans ces documents sont-ils satisfaits de leur expérience canadienne ? Que pensent-ils des Canadiens ?

3. Étudiez les expressions canadiennes qu'emploie Véronique : repérez notamment les références au corps humain et les emprunts à l'anglais.

APPRÉCIER

4. Le procédé qui consiste, dans la première partie du reportage, à alterner témoignages et commentaires vous paraît-il approprié au sujet traité ? Quelles autres informations auriez-vous souhaité trouver ?

INFORMER

5. « Véronique est originaire de… Elle a visité le Canada… » : complétez ce portrait de Véronique.

S'INFORMER REGARDER

Notez la construction de ce document :

1. Que montre l'enchaînement rapide d'images courtes et variées ?

2. Qui est la personne interviewée ?

3. Quelle(s) hypothèse(s) pouvez-vous faire sur le thème présenté ?

À quels domaines, de l'économie notamment, renvoient les images montrées dans le montage ?

S'INFORMER ÉCOUTER

4. Quels sont les trois enjeux de la présence française à l'étranger ? Lequel est illustré ici ?

5. En quoi l'expatriation est-elle importante pour la France ?

6. À partir des informations fournies, établissez une fiche sur l'OMI : nom de l'organisme, statut, mission, interlocuteurs, moyens d'action, méthodes d'intervention.

7. Qu'est-ce que « l'assistance plus » ? De quels domaines traite-t-elle ? Qui peut en bénéficier ?

ANALYSER COMPARER

8. Selon vous, quels problèmes personnels, professionnels et relationnels avec le pays d'accueil peuvent se poser aux travailleurs expatriés ?

IMAGINER

9. Vous envisagez de travailler en France : vous écrivez au délégué local de l'OMI pour lui exposer votre projet et lui demander un rendez-vous.

VIDEO 2

Depuis près de trois siècles, les Français s'étaient habitués à un certain protectionnisme sous l'autorité d'un État centralisateur, ressenti à la fois comme un carcan et comme un tuteur. Aujourd'hui, il faut « penser européen » et affronter les luttes entre les grands blocs économiques mondiaux. Il faut aussi tenir compte des multiples niveaux de décision nés de la décentralisation. Coincés entre l'Europe, leur pays, leur région, leur ville, les « nouveaux Européens » trouvent dans l'humour un moyen de conjurer leur inquiétude.

L'Europe

« **A**u vingtième siècle, il y aura une nation extraordinaire. Cette nation sera grande, ce qui ne l'empêchera pas d'être libre. Elle sera illustre, riche, pensante, pacifique, cordiale au reste de l'humanité. Elle aura la gravité douce d'une aînée... Cette nation aura pour capitale Paris, et ne s'appellera point la France : elle s'appellera l'Europe. Elle s'appellera l'Europe au vingtième siècle, et, aux siècles suivants, plus transfigurée encore, elle s'appellera l'Humanité. L'Humanité, nation définitive, et dès à présent entrevue par les penseurs, ces contemplateurs des pénombres. »

Victor Hugo, *L'Avenir.*

LA RENAISSANCE

Axel Krause, l'un des plus éminents journalistes de l'*International Herald Tribune,* auteur du livre *La Renaissance* (Le Seuil, 1992), n'est pas un Huron* naïvement débarqué d'Amérique. L'Europe, il connaît. Et son regard est doublement intéressant, parce que c'est un regard extérieur en même temps qu'un regard de connaisseur.

Il rappelle combien cette Europe, aujourd'hui décriée, a progressé tout au long des années 80 grâce à l'horizon du Marché unique de 1993, alors qu'il y a quelques années beaucoup jugeaient cette perspective irréaliste. Qui aujourd'hui estime à sa juste valeur des projets comme Eurêka* ou Airbus Industrie*, fruits d'une collaboration sans précédent entre des pays européens qui, jusque-là, pratiquaient le chacun pour soi ? […]

Mais Axel Krause ne s'arrête pas à cette image industrielle. Son œil d'Américain qui se souvient du lent amalgame des cinquante États unis d'Amérique le rend peut-être plus sensible à cette lente formation d'une entité européenne, à cette création originale d'un « pouvoir politique global », fonctionnant non plus à l'autorité classique, mais suivant ce que l'on nomme à Bruxelles* la règle des trois C : conciliation, compromis et consensus. Krause ne masque ni les ratés, ni les hésitations, ni les difficultés de cette construction sans précédent. Contrairement à beaucoup de Français, il a la finesse de penser que cette Europe aura une forme insolite, inédite, « probablement celle d'une fédération souple, plus proche des modèles pluriculturels de la Suisse ou de la Belgique que des États-Unis ».

Jean-Marcel Bouguereau, *L'Événement du Jeudi*, 2.9.1992.

REPÈRES

un Huron : allusion au conte satirique de Voltaire *L'Ingénu ou le Huron* (1764) dans lequel un Huron, Indien d'Amérique du Nord transporté en Europe, « dit toujours naïvement ce qu'il pense »

Eurêka : programme de recherche européen

Airbus Industrie : groupe industriel regroupant plusieurs pays européens pour la fabrication en commun de l'avion Airbus

Bruxelles : siège du Conseil européen et du Comité économique et social ainsi que de nombreux services de la Communauté européenne

S'INFORMER

1. Pour parler de la construction européenne, on peut évoquer l'histoire, la géographie, l'organisation politique, la culture, l'industrie, le commerce, la recherche... Quels sont les aspects abordés dans cet article ?

2. Quelle forme A. Krause pronostique-t-il pour l'Europe de demain ?

APPRÉCIER

3. Ce compte rendu traduit-il une opinion favorable, critique, neutre du livre d'Axel Krause ? Pourquoi ?

ANALYSER COMPARER

4. Pourquoi le regard d'un non-Européen est-il particulièrement intéressant ?

5. Quelles allusions le texte fait-il aux difficultés de la construction européenne ?

6. Si vous appartenez à un pays de la Communauté, que pensez-vous de l'opinion d'Axel Krause sur l'Europe ?

L'EUROPE DES CITOYENS

France-Inter propose régulièrement à ses auditeurs une émission culturelle sur des sujets d'actualité : « Le téléphone sonne ». À partir d'un reportage préalable, l'animateur de l'émission réunit un panel d'experts pendant 45 minutes afin de répondre aux questions que les auditeurs posent en direct au standard téléphonique de la station ou par l'intermédiaire du Minitel.

Dans cette émission consacrée à l'Europe, les extraits retenus abordent différents aspects du vote des nouveaux « citoyens européens ».

ÉCOUTER

1. Écoutez une première fois l'ensemble du document sonore et repérez les caractéristiques de la langue parlée.

2. Notez l'intonation appuyée sur certains mots, ou parties de mots, qui souligne l'intention du locuteur (exemple : « Le téléphone sonne ce soir, en direct du parlement européen à Strasbourg l'Europe des citoyens »).

3. Notez les différences dans le langage parlé du journaliste Alain Bédouet et dans celui des différents intervenants (fluidité, hésitation, articulation de l'ensemble de la phrase).

S'INFORMER

4. Quels sont les pays européens cités dans l'introduction ?

5. Le premier auditeur se présente comme un « non-croyant européen » : quels arguments oppose-t-il au vote européen ?

6. Quelles précisions Mme Fontaine apporte-t-elle dans la réponse à l'auditeur à propos du vote européen et des électeurs concernés ?

Parmi les deux possibilités de vote données aux citoyens européens, à quels objectifs répond la première ?

7. Quelle est la particularité de la situation de Monique ? Où habite-t-elle ? Où vote-t-elle ? Comment s'informe-t-elle de l'actualité ? Que pense-t-elle de la citoyenneté européenne ?

ANALYSER COMPARER

8. Comparez les deux « citoyens européens » qui s'expriment dans l'émission : style, niveau d'information sur l'Europe, ouverture d'esprit, etc.

9. Pensez-vous qu'il est justifié de faire participer à des élections locales des résidents de nationalité étrangère ?

EUROPE : LES FRONTIÈRES DU RIRE

Ça commence comme ça : « C'est l'histoire d'un Belge… » Mais ce n'est pas seulement une blague. Car l'humour, et notamment celui qui vise des communautés nationales, n'est pas la forme la plus innocente de l'expression populaire. Bien au contraire. Dis-moi de qui tu ris, je te dirai qui tu es : telle est, en effet, la leçon sérieuse de ce qui paraît ne jamais l'être. Le rire, ce léger papillon du discours aussi difficile à saisir qu'à épingler, est également un révélateur, car il touche du doigt là où ça fait mal. Le choix de ses cibles en dit long sur l'histoire des peuples, de leurs rivalités, de leurs complexes. C'est au moment où l'Europe fait son Marché unique et se préoccupe du caractère communautaire de sa culture que les zizanies du rire entre voisins battent leur plein. […]. De pays à pays, on est (presque) toujours le Belge de quelqu'un. Les Anglais ont leurs *jokes* irlandaises ; les Portugais, leurs blagues espagnoles ; les Suédois, les Danois rigolent des Norvégiens, des Finlandais… C'est « tout le monde il est cossard, tout le monde il est bête* ». Comme si les Européens, en faisant de l'humour, faisaient la guerre. […]

En se moquant d'un voisin, les pays ont les mêmes motifs. Cimenter le consensus. Exorciser les démons, les frustrations économiques, politiques et les rivalités historiques. Exalter un certain sentiment de supériorité ou se soulager d'un complexe d'infériorité : le besoin de dénigrer se fait sentir dans les deux sens. […] En France, de la même façon que les Jurassiens* ont été les premiers à blaguer sur les Suisses quand ils ont dû aller travailler chez eux, les frontaliers du Nord ont (re)lancé les histoires belges au moment de la crise de l'énergie.

Emmanuelle Ferrieux, *Le Point*, n° 936, 27.8.1990.

REPÈRES

« tout le monde il est cossard, tout le monde il est bête » : référence au titre d'un film parodique de l'humoriste français Jean Yanne : *Tout le monde il est beau, tout le monde, il est gentil ;* cossard signifie paresseux

un Jurassien : un habitant du Jura, département limitrophe de la Suisse

S'INFORMER

1. Pourquoi les peuples en général, et les Européens en particulier, se moquent-ils de leurs voisins ?

2. Quels sont les pays cités dans l'article ? Quelle est la cible privilégiée de leur humour national ?

ANALYSER COMPARER

3. L'humour qui vise un autre peuple peut-il être « innocent » ?

4. « Le rire est un révélateur » : que pensez-vous de cette affirmation ?

5. Ces réflexions s'appliquent-elles à votre pays ?

INFORMER

6. Racontez une blague qui vise un pays voisin du vôtre ? Ou une blague que l'on raconte sur votre pays ? Quels travers cette blague dénonce-t-elle ? Cette critique est-elle, selon vous, justifiée ?

La région

DÉCENTRALISATION* : LE DÉBAT RÉGIONAL

« Il faut faire les régions* sans défaire la France. » Cette formule date de 1970. Elle pose clairement le problème des relations entre l'État central – son gouvernement, son administration – et la province. Comment, en effet, donner un certain niveau d'indépendance à l'Alsace, à la Bourgogne ou à la Picardie, sans risquer de briser l'unité nationale ? Une partie des Corses ou des Basques réclament bien l'autonomie* de leur région, mais l'unité n'est pas vraiment menacée. La majorité des Français reste favorable au maintien de l'unité nationale : un seul drapeau, un seul parlement, une seule armée.

Le débat entre Paris et la province est-il pour autant clos ? Loin de là. Midi-Pyrénées, le Nord-Pas-de-Calais, l'Aquitaine réclament à cor et à cri le transfert, vers leurs régions, d'entreprises et d'administrations. À qui les prendre ? À cette région parisienne qui, avec 20 % du territoire, rassemble 40 % des cadres d'entreprises et le tiers des effectifs universitaires ? Les « Franciliens »* ne l'entendent pas de cette oreille. Au début de l'année 1992, le gouvernement a annoncé le transfert vers la province d'administrations et de grandes écoles : fonctionnaires et étudiants concernés sont aussitôt descendus dans la rue pour réclamer leur maintien à Paris.

Les Clés de l'Actualité, 19.3.1992.

LES RÉGIONS ET L'EUROPE

La France n'entre pas en Europe uniquement avec ses entreprises. Elle devra compter aussi de plus en plus avec ses collectivités locales, devenues beaucoup plus autonomes que par le passé, grâce à la loi de décentralisation. C'est déjà une réalité dans les zones frontalières, mais les autres y viennent. C'est ainsi que la deuxième région du pays, Rhône-Alpes, a passé des accords de partenariat avec ses homologues du Bade-Wurtemberg ou de Catalogne. Mais au moment où les collectivités locales affirment leur rôle dans l'Europe qui se construit, beaucoup s'interrogent sur la faiblesse de nos structures administratives. On peut s'inquiéter de la faible taille de certaines régions : 700 000 habitants en Limousin, un million en Franche-Comté, c'est bien peu face à la Lombardie, 9 millions, ou à la Bavière, 12 millions. Et que dire de leurs moyens financiers ! Le budget du Languedoc, 2 milliards de francs, ne représente pas plus du 1/30 de celui de la Catalogne.

Atlas 1993 - L'Entreprise, n° 86, 11.12. 1992.

REPÈRES

la décentralisation : la gestion des régions est désormais confiée à des instances élues par la population locale (et non plus nommées par le pouvoir central)

la région : la loi de décentralisation du 22 mars 1982 a découpé la France en 22 régions (+ 4 régions d'outre-mer) ; la région est administrée par un Conseil régional élu au suffrage universel et dispose d'un budget autonome

l'autonomie : une région autonome aurait son propre gouvernement et ses propres lois tout en reconnaissant l'autorité centrale de l'État dans certains domaines : défense, politique internationale, justice, etc.

un Francilien : un habitant de la région Île-de-France (dont la capitale est Paris)

S'INFORMER

1. Repérez sur une carte les régions citées dans ces documents.

2. Dégagez les problèmes auxquels se heurte la décentralisation : en France ; dans le contexte européen.

ANALYSER COMPARER

3. Comment expliquer la réticence des Franciliens à quitter la région parisienne ?

4. En quoi la faible taille d'une région peut-elle être un handicap ?

INFORMER

5. Présentez un bref exposé sur l'organisation territoriale de votre pays.

LE POUVOIR DES RÉGIONS

L e département, unité administrative créée par la Révolution, symbolisait le pouvoir centralisateur de l'État d'où émanaient toutes les décisions. La loi de décentralisation du 2 mars 1982, en créant 22 régions métropolitaines et 4 régions d'outre-mer, a tenté de changer ce rapport de forces en déléguant aux pouvoirs régionaux une partie des prérogatives de l'Administration centrale. Mais la région est une entité administrative nouvelle qui se superpose aux anciennes structures. Et elle cherche encore ses marques.

VIDEO 3

S'INFORMER
REGARDER

1. Dans ce reportage, relevez les contrastes entre les premières images (juste après l'introduction faite par le journaliste) et les suivantes. Quelles impressions s'en dégagent à votre avis ?

2. Certaines images (par exemple les interviews de responsables) associent les différents éléments de l'information visuelle :
– au premier plan de l'image : une personne interviewée et un sous-titre apparaissant au bas de l'écran qui précise son statut ;
– à l'arrière-plan : un décor identifiable.
Pouvez-vous repérer ces images et dire quelle information visuelle elles veulent communiquer ?

S'INFORMER
ÉCOUTER

3. À quelles questions essentielles formulées par P. Bouteiller l'enquête filmée cherche-t-elle à répondre?

4. Quelle région a-t-on choisie pour mener l'enquête ? Pourquoi ce choix ?

5. Quelles informations l'enquête apporte-t-elle sur les pouvoirs des régions depuis la loi de décentralisation : nature, limites éventuelles ?

6. Quels exemples de réalisation illustrent l'action régionale ?

Quels ont été les partenaires pour ce type d'action ? Quels sont les avantages et les inconvénients de cette multiplicité de centres de décision ?

7. À quelle condition peut-on poursuivre l'action de régionalisation?

ANALYSER
COMPARER

8. Quel jugement chacune des personnes interviewées porte-t-elle sur la région ? Comment leurs fonctions expliquent-elles ces différentes opinions ?

9. Quels sont selon vous les avantages et les inconvénients respectifs d'un État centralisé et d'un État à forte autonomie régionale ?

La ville

LE POUVOIR DES MAIRES

L'EUROPE SERA L'EUROPE DES VILLES ET, AU MOMENT OÙ LES IDÉOLOGIES S'ESTOMPENT, LE VRAI POUVOIR POLITIQUE EST LE POUVOIR DES MAIRES.

L e phénomène urbain ne cesse d'affirmer sa prépondérance. La France est devenue au fil des ans un pays de citadins : 76 % des habitants vivent aujourd'hui dans des communes de plus de 2 000 habitants. Ils seront 90 % en 2000 sur moins de 10 % du territoire.
De plus en plus grandes, de plus en plus nombreuses et de plus en plus sollicitées, les villes sont devenues les vrais centres du pouvoir.

REPÈRES

l'ÉNA : l'École nationale d'administration forme les hauts fonctionnaires français ; installée à Paris, elle a été, en partie, décentralisée à Strasbourg, dans l'est de la France

la Manufacture nationale des Gobelins : célèbre manufacture de tapisseries installée à Paris dans le 13e arrondissement et décentralisée à Aubusson

Aubusson : ville de la Creuse, dans le centre de la France, célèbre depuis trois siècles par ses manufactures de tapisseries

le Grand Palais : musée parisien situé en bas des Champs-Élysées

la délocalisation : voir ci-dessus p. 16

la province : nom donné à tout ce qui, en France, n'est pas Paris et sa région

Airbus : voir ci-dessus p. 21

Air Inter : compagnie des lignes intérieures françaises absorbée par la compagnie nationale Air France

le Centre national d'études spatiales : centre de recherche de réputation internationale dédié à l'aéronautique et à l'espace

une technopole : une entité qui regroupe en un même lieu des entreprises, des centres de formation et des centres de recherche travaillant en étroite collaboration

Toulouse : capitale régionale de Midi-Pyrénées (voir la carte p. 30)

Tarbes : une des villes de cette région, située dans les Hautes-Pyrénées

Pouvoir financier, certes. L'ensemble des budgets communaux représente un montant global de près de 400 milliards de francs, environ le tiers du budget national. Les communes disposent globalement d'une masse budgétaire presque dix fois supérieure à celle des régions. Un exemple, le seul budget annuel de la ville de Nice, 4,7 milliards de francs, dépasse d'un tiers celui de la région Provence-Alpes-Côte d'Azur (3,6 milliards).

Mais surtout, pouvoir politique. Tous ceux qui exercent la fonction de maire sont unanimes à dire que c'est dans ce rôle qu'ils peuvent conduire leur action. [...] Enfin, les villes sont de plus en plus les moteurs de la croissance économique des zones qu'elles animent. L'introduction de la notion de « bassin d'emploi »* d'abord, qui constitue la sphère d'influence d'une ville sur la population active d'une petite partie du territoire, illustre bien cette réalité. La notion d'agglomération, ensuite, vient rehausser la réalité communale, du moins dans les centres urbains importants, au fur et à mesure que les activités les plus représentatives émigrent vers leur périphérie. [...] Des villes comme Nancy ou Rouen, dont la population communale dépasse à peine les 100 000 habitants, se trouvent au cœur d'agglomérations regroupant respectivement 300 000 et 400 000 habitants. [...] [Cependant] notre armature urbaine est encore trop faible par rapport à celle des pays voisins. Si l'agglomération de Paris, avec ses 9,2 millions d'habitants, fait figure de poids lourd dans l'ensemble européen – même l'agglomération londonienne, jadis plus importante, lui a désormais cédé le pas –, ce n'est plus le cas des autres. L'agglomération lyonnaise, deuxième du pays, a du mal à se faire une place dans le concert des grandes métropoles économiques européennes comme Munich, Francfort ou Milan. Marseille fait bien pâle figure face à ses homologues, Barcelone, Hambourg ou Amsterdam... Beaucoup de nos grandes agglomérations demeurent encore trop petites pour jouer un véritable rôle européen.

L'Entreprise, n° 78, 3.1992.

REPÈRES

un bassin d'emploi : une zone, en général reliée à une ville, pour laquelle on prend en considération l'ensemble des problèmes d'emploi : implantation d'activités, création de postes, formation, conditions de travail, etc.

S'INFORMER

1. D'après son titre et son chapeau, quel est le thème de l'article ?

2. « Les villes sont devenues les vrais centres du pouvoir » : comment est-on arrivé à cette situation ?

3. Quels sont les trois pouvoirs des villes françaises ? Quels paragraphes traitent de ces pouvoirs ?

4. De quels handicaps souffrent les villes françaises par rapport à leurs concurrentes européennes ?

ANALYSER COMPARER

5. Relevez dans cet article tous les termes qui appartiennent au vocabulaire de la ville et recherchez-en le sens précis dans un dictionnaire.

6. Comparez le rôle des villes en France et dans votre pays.

IMAGINER

7. Imaginez quelques-unes des conséquences d'une urbanisation massive et rapide.

EXPLIQUER

8. Vous venez d'être élu(e) maire de votre ville : présentez vos priorités pour les cinq prochaines années.

CONVAINCRE

9. Le conseil municipal discute d'un projet (à choisir) concernant votre ville : partisans et opposants s'affrontent. Jouez le débat.

• • • • • • •

SYNTHÈSE

Présentez un compte rendu écrit des documents illustrant le thème : « Politique : les nouveaux pouvoirs ».

• • • • • • •

Toujours plus sophistiquées et plus compliquées, les machines – conçues pour pallier l'insuffisance humaine – peuvent devenir source de frustrations et d'accidents graves. Faut-il regretter « le bon vieux temps » et renoncer en bloc aux retombées de la science ?

HOMME/MACHINE : LE DIALOGUE DE SOURDS

Au cours de sa descente sur l'aéroport de Strasbourg, l'Airbus* A 320 d'Air Inter* s'écrase soudain sur les flancs du mont-Saint-Odile. 87 morts. […]
L'homme chargé de piloter la machine a perdu le contrôle de cette dernière, faute de savoir lui communiquer ses ordres.

Pourtant, l'A 320 est un petit bijou de l'aéronautique, l'avion de ligne le plus sophistiqué actuellement en service. Dans son cockpit", rien n'a été laissé au hasard. Toutes les commandes sont gérées par des logiciels" impitoyables : aucune erreur n'est possible. À tel point que sur ses A 320, Air Inter avait supprimé ses dispositifs d'alarme de proximité du sol, désormais inutiles. Justement : l'avion est trop parfait. Les pilotes regrettent de ne plus sentir dans son manche à balai" (il n'y en a pas) les vibrations de l'appareil. Ils se sentent dépossédés de leur métier. Et leur vigilance se relâche…

Cette maladie provoquée chez l'homme par le contact avec les machines, et par les frustrations que provoque notre dialogue avec ces engins de plus en plus complexes, porte désormais un nom : la « technopathie ». La technopathie se traduit souvent par une peur de la machine, une paralysie devant ses réactions. D'où des blocages, une perte de confiance en soi face à ces claviers, écrans, boutons, et une inhibition des possibilités d'apprentissage. […]

Cela peut surtout s'avérer dangereux quand on est responsable de la sécurité de quelques centaines de passagers ou de la population voisine d'une centrale. Ce n'est donc pas par hasard que l'aéronautique et le nucléaire sont les deux secteurs où les rapports de l'homme avec la machine sont le plus étudiés par de nombreux spécialistes : médecins, psychologues, ergonomes", sociologues, etc. […]

N'allons pas croire pour autant qu'on est à l'abri de la technopathie quand on ne pilote ni un avion ni une centrale nucléaire : aujourd'hui, la machine est partout, et de plus en plus complexe (donc intimidante). Dans tous les secteurs d'activités, des millions de gens travaillent désormais devant un ordinateur. Dans la vie quotidienne, qu'il s'agisse de payer son parking, de retirer de l'argent, d'acheter un billet de train, d'innombrables transactions* passent par un automate plus ou moins capricieux. De plus, de très nombreuses industries, mêmes banales – la chimie, la pharmacie ou le pétrole – font appel à des dispositifs électroniques dont la complexité n'a parfois rien à envier aux tableaux de bord des Airbus. […]

Pour nous permettre de vivre en harmonie avec des machines de plus en plus complexes, les spécialistes acceptent désormais de considérer que les hommes ne sont pas seulement des êtres rationnels. Qu'ils sont aussi, pour une grande part, et contrairement aux machines, sentimentaux, affectifs, bourrés de manies, attachés à leurs souvenirs. Nouvelles venues dans cette grande aventure de la technique, les sciences humaines vont permettre à l'ergonomie de ne plus se contenter d'une optimisation technique des objets, ou de l'art de placer les boutons-poussoirs au bon endroit. Destinés à dialoguer avec les humains, les objets, à défaut d'avoir une âme*, doivent au moins nous rappeler la nôtre.

Fabien Gruhier, *Phosphore*, décembre 1992.

VOCABULAIRE

un cockpit : *(angl.)* la cabine de pilotage d'un avion
un logiciel : un programme informatique
un manche à balai : *(aviation)* la commande du gouvernail d'un avion
un ergonome : un spécialiste qui étudie scientifiquement les relations de travail entre l'homme et la machine

REPÈRES

Airbus : voir ci-dessus p. 21.
Air Inter : voir ci-dessus p. 24.
une transaction : une opération impliquant la circulation d'argent ou d'information
« À défaut d'avoir une âme » : référence aux célèbres vers de Lamartine :
« Objets inanimés,
Avez-vous donc une âme
Qui s'attache à notre âme
Et nous force d'aimer ? »

S'INFORMER

1. Recherchez dans le texte le terme « technopathie » et la description qui en est donnée.

2. Dans quelles circonstances se manifeste cette maladie ? Qui est touché ?

3. Quels moyens propose l'article pour lutter contre cette « maladie nouvelle »?

APPRÉCIER

4. L'exemple de l'Airbus vous paraît-il bien choisi pour illustrer ce thème ? Pourriez-vous proposer un autre exemple ?

ANALYSER COMPARER

5. Avez-vous déjà subi les effets de la « technopathie » ? Si oui, dans quelles circonstances ?

6. Peut-on vraiment parler d'une « maladie nouvelle » ?

EXPLIQUER

7. Vous expliquez à un francophone en visite dans votre pays comment utiliser un distributeur de billets (ou tout autre appareil public un peu compliqué). Jouez la scène.

8. Vous rédigez une liste de consignes pour l'utilisation d'un outil ou d'un appareil électro-ménager complexe.

LES SENTINELLES : DANS UNE CENTRALE ATOMIQUE

EN 2020, QUELQUE PART EN FRANCE, UN JOURNALISTE INTERVIEWE LA RESPONSABLE D'UNE CENTRALE ATOMIQUE.

Q – *Dites-moi, combien y a-t-il de cadrans dans cette immense salle ?*

R – Environ 1 600, 400 par groupe.

Q – *Comment peut-on surveiller 1 600 cadrans ? Vous êtes combien dans cette salle ?*

R – Une quarantaine. Il est tout à fait impossible de surveiller en permanence 1 600 cadrans – ni même 40. Ce serait dangereux.

Q – *Mais alors ?*

R – C'est l'ordinateur qui s'en charge. L'informatique a changé la manière de concevoir la sécurité. Ici, l'ordinateur enregistre un cycle complet d'informations tous les 1/1 000 de seconde.

Q – *C'est fabuleux ! Et s'il y a un incident ?*

R – L'ordinateur analyse la situation, la compare à son dictionnaire d'anomalies, avec en mémoire les réponses appropriées, et intervient au 1/10 de seconde. Il fallait quelques minutes à l'homme. C'était beaucoup trop. Tenez. Regardez attentivement nos cadrans. Ils oscillent très peu mais continuellement. C'est l'ordinateur qui ramène instantanément la gestion à l'optimum par d'imperceptibles interventions.

Q – *Mais qui détermine l'optimum ?*

R – Bonne question, mais ce serait trop compliqué d'y répondre. [...]

Q – *C'est le domaine de l'ordinateur ?*

R – Évidemment.

Q – *Imaginons le pire. Supposons une panne grave ?*

R – Supposons. La procédure est la même. [...]

Q – *Et si l'incident est très grave ?*

R – C'est devenu impossible.

Q – *C'est ce qu'on dit toujours avant. Supposons.*

R – Tout s'arrête. De deux choses l'une : ou bien l'ordinateur a l'anomalie en mémoire et sait qu'il doit s'arrêter, ou bien l'ordinateur n'a pas cet incident dans son dictionnaire, et il a aussi l'instruction d'arrêter. En 1/10 de seconde. [...]

Q – *Sans intervention de votre part ?*

R – Naturellement. Nous avons des décennies d'expérience. Nous savons que les accidents graves ont presque toujours leur origine dans l'intervention humaine.

Q – *Mais vous continuez de vous entraîner ?*

R – Nous sommes soumis périodiquement aux contrôles réglementaires de sécurité. Et croyez-moi, il vaut mieux ne pas les rater. Vous êtes viré immédiatement.

Q – *Mais comment pouvez-vous vous entraîner, alors que l'ordinateur gère la centrale ?*

R – Il y a longtemps que nous ne nous exerçons plus sur la centrale elle-même. Nous travaillons sur simulateur. On n'imagine pas le nombre d'accidents survenus autrefois, lors des exercices d'entraînement...

Q – *Si je comprends bien, les exercices auxquels vous êtes soumis sont répertoriés dans le simulateur, qui connaît la bonne réponse ?*

R – Naturellement. C'est ce qui permet de nous tester.

Q – *Est-ce que ça ne veut pas dire que, là où il y a un simulateur, on pourrait se passer de l'intervention humaine?*

R – On voit que vous n'avez pas réfléchi aux problèmes de sécurité. C'est à l'homme qu'il revient, en définitive, de veiller à l'homme.

Jean Sérisé, *Commentaire*, n° 51, 1991.

S'INFORMER

1. Recensez dans ce texte les missions respectives de l'ordinateur et de l'homme : quelles sont les missions complémentaires et celles qui font double emploi ?

2. Reconstituez le raisonnement de l'enquêteur. À quelle conclusion parvient-il ? Cette conclusion est-elle aussi celle de la responsable ?

APPRÉCIER

3. Le raisonnement de l'enquêteur et les réponses de la responsable vous semblent-ils logiques ?

4. Comment s'exprime l'ironie de l'auteur : situation, personnages, répliques ?

5. À quel genre littéraire appartient ce texte : essai scientifique ? essai philosophique ? satire ? pièce de théâtre ? nouvelle de science-fiction ? article de presse ? conte philosophique ?

IMAGINER

6. Imaginez votre vie dans cinquante ans : l'ordinateur a envahi votre appartement, votre maison, votre vie quotidienne...

EXPLIQUER

7. À partir de cette interview, rédigez un article qui explique le fonctionnement de cette centrale atomique.

LA RANÇON DU PROGRÈS

L a mémoire n'est pas la vérité. Elle enjolive. Elle efface les coups durs. Elle idéalise le passé. Elle éclaire l'enfance d'une lumière dorée. Le bon vieux temps n'est plus rejeté, dans ce cas, dans un passé incertain, mais il est tout proche. Nos grands-parents l'ont connu. Nos parents en parlent encore. Nous-mêmes, nous l'avons effleuré, lors de nos premières années. Il faisait plus chaud en été et plus froid en hiver. Noël était une vraie fête. On faisait des confitures à la maison. Les vacances étaient enchanteresses. La rue était calme. Les constructions étaient plus solides, les vêtements plus résistants, les bonbons duraient plus longtemps. Aujourd'hui, on voit toutes les bonnes coutumes « se changer en je ne sais quelles nouveautés », dit un personnage des *Propos rustiques* de Noël du Fail. Autrefois, ajoute-il, chacun était content de sa fortune et du métier dont il pouvait vivre honnêtement. Dieu était révéré, la vieillesse était honorée. Il ne survenait pas la moindre fête sans que quelqu'un invite tout le village à manger ses poules ou ses jambons. Aujourd'hui, tiens ! on les vend pour de l'argent. L'édition originale des *Propos rustiques* date de l'an 1547. La nostalgie était bien installée déjà. [...] C'est pourtant au XVIᵉ siècle, justement, qu'a commencé à se développer l'idée de progrès. L'homme avait peut-être chu du Paradis, mais n'empêche, il était parfois

capable d'égaler les Anciens au niveau des arts et des connaissances. Les plus ouverts à la modernité constataient que l'Antiquité n'avait pas connu l'usage de la boussole, ni celui de l'acier trempé, ni la fourchette, ni l'Amérique, ni l'opéra, ni l'imprimerie. [...] Au XIXᵉ siècle, le progrès technique représenta pour certains la voie royale vers la libération de l'homme. La science avançait à pas de géants, la société ne pouvait que s'améliorer au même rythme. C'était, là aussi, un point de vue bien naïf. L'industrie, on l'a appris à nos dépens, n'est pas seulement un facteur de progrès. On connaît suffisamment ses méfaits, la pollution, les conditions de travail inhumaines, le trou dans la couche d'ozone, la bombe atomique, la disparition de la mer d'Aral et tutti quanti*, pour qu'il soit utile de s'y attarder. Ce qu'on oublie trop quand on la maudit en bloc, ce sont ses bienfaits très réels aussi. En diabolisant les produits chimiques, renoncera-t-on à l'aspirine ? Il en va de même, la plupart du temps, pour tous les autres méfaits de notre monde moderne. « La rançon du progrès » est un cliché, mais un cliché peut être vrai. Tout se paie !

Pierre Enckell, *L'Événement du Jeudi*, 11.6.1992.

S'INFORMER

1. Résumez en une phrase l'idée contenue dans chaque paragraphe.

2. Comment l'auteur démontre-t-il que « la mémoire n'est pas la vérité » ?

3. Comment est produit l'effet de surprise dans le deuxième paragraphe ?

4. À quels temps sont les verbes de ce texte ? Justifiez les changements de temps.

APPRÉCIER

5. Dans son analyse, l'auteur est-il neutre ? Pour le vérifier, classez dans un tableau comparatif les retombées positives et les retombées négatives du progrès énumérées dans l'article.

ANALYSER COMPARER

6. « Tout se paie » : qu'en pensez-vous ?

7. Trouvez d'autres exemples du « bon vieux temps » empruntés à votre expérience.

8. Pouvez-vous illustrer les effets positifs du progrès à partir d'exemples personnels ?

VOCABULAIRE

tutti quanti : (italien) et tout le reste du même ordre

• • • • • • •
SYNTHÈSE

Présentez un compte rendu des documents illustrant le thème : « Technologie : les nouveaux défis ».
• • • • • • •

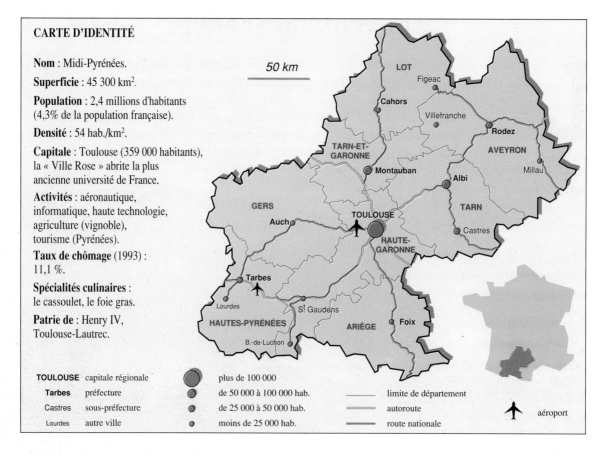

CARTE D'IDENTITÉ

Nom : Midi-Pyrénées.

Superficie : 45 300 km^2.

Population : 2,4 millions d'habitants
(4,3% de la population française).

Densité : 54 hab./km^2.

Capitale : Toulouse (359 000 habitants),
la « Ville Rose » abrite la plus
ancienne université de France.

Activités : aéronautique,
informatique, haute technologie,
agriculture (vignoble),
tourisme (Pyrénées).

Taux de chômage (1993) :
11,1 %.

Spécialités culinaires :
le cassoulet, le foie gras.

Patrie de : Henry IV,
Toulouse-Lautrec.

TOULOUSE capitale régionale	● plus de 100 000
Tarbes préfecture	● de 50 000 à 100 000 hab.
Castres sous-préfecture	● de 25 000 à 50 000 hab.
Lourdes autre ville	● moins de 25 000 hab.

—— limite de département
══ autoroute
▬▬ route nationale
✈ aéroport

LE DÉSÉQUILIBRE

À bien l'analyser, Midi-Pyrénées présente les aspects d'une région à trois vitesses. Toulouse (avec son agglomération) constitue le premier niveau. [...] Sa première force réside indiscutablement dans son potentiel scientifique. À lui seul, le secteur aéronautique toulousain draine directement ou indirectement un ensemble de 20 000 emplois, tandis que s'y déploient avec succès tout un ensemble d'activités de haute technologie à travers lesquelles apparaît une certaine diversification. [...] Elles en font le foyer d'un ensemble de 10 000 chercheurs qui propulse Midi-Pyrénées parmi les régions françaises les mieux fournies en laboratoires. Dès lors, on comprend aisément que s'y produise un effet « boule de neige » : Toulouse groupe la moitié du commerce de gros, monopolise les services aux entreprises et concentre en son sein les équipements de l'enseignement supérieur. Derrière la suprématie toulousaine, les bassins d'emplois de Midi-Pyrénées connaissent des situations inégales, mais souvent précaires ou incertaines. Certains, comme le Sud-Tarn ou Rodez, constituent des pôles d'ancrage qui contiennent un mouvement de dépeuplement généralisé. D'autres, comme Decazeville, se remettent à espérer. Mais la plupart cherchent désespérément le moyen de résister à la dégradation des tissus industriels traditionnels (textile, cuir, bois...) qui firent les fondements de leurs anciennes prospérités. Enfin, confronté dans le même temps aux handicaps climatiques, à l'effondrement démographique des chefs d'exploitation et au désengagement des fonds européens, notre espace rural connaît quant à lui son imposant lot de difficultés. Le phénomène est d'autant plus marquant que l'agriculture demeure, en Midi-Pyrénées, une activité de poids : près de 12 % de la population active contre une moyenne nationale de 6,5 %. Midi-Pyrénées, *Région Midi-Pyrénées*, 1993.

S'INFORMER

1. Repérez les villes et les lieux cités dans l'article sur la carte de la région Midi-Pyrénées.

2. « Une région à trois vitesses » : identifiez chacun de ces trois aspects.

3. Repérez dans le document les facteurs qui expliquent l'« effet boule de neige » que produit la capitale régionale.

4. Quels sont les atouts et les handicaps des deux autres secteurs de la région ?

**ANALYSER
COMPARER**

5. En quoi la crise de l'agriculture est-elle dangereuse pour Midi-Pyrénées ?

6. Quels sont les inconvénients d'une capitale régionale hypertrophiée ?

TROIS QUESTIONS AU MAIRE DE TOULOUSE

L'aéronautique demeure le vrai moteur économique de Toulouse. N'y a-t-il pas un risque pour votre ville de trop dépendre d'un secteur, certes brillant, mais qui peut connaître des chutes de régime ?

DOMINIQUE BAUDIS. – Je vous dirai que je préfère que ma ville dépende d'un secteur d'avenir plutôt que d'activités industrielles à problèmes. […] Toulouse est aussi le deuxième centre français pour l'électronique et l'informatique. Ces deux secteurs emploient presque autant de travailleurs que l'aéronautique. […]

Beaucoup reprochent à Toulouse d'occuper une place trop importante dans une région insuffisamment développée, dont elle accaparerait toutes les richesses tout en éclipsant les quatres villes de Midi-Pyrénées.

[…] Je vous ferai remarquer que la richesse de Toulouse ne s'est pas créée au détriment de la région, puisque nos activités sont en grande partie venues d'ailleurs. […] Au contraire, grâce à son dynamisme, Toulouse a pu absorber une partie de l'exode rural régional qui, sans cela, aurait déversé ces hommes dans d'autres régions. […]

Comment voyez-vous l'avenir de Toulouse dans l'Europe qui est en train de se faire ?

Je dois vous dire que l'Europe, nous la vivons concrètement, à travers notre industrie aéronautique qui a depuis longtemps un caractère européen avec la présence du consortium Airbus*. De plus, nous sommes les grands bénéficiaires de l'entrée de l'Espagne dans la CEE*, une entrée que nous avons toujours soutenue en Midi-Pyrénées. Il est vrai que notre ville a depuis longtemps des liens étroits, par-delà les Pyrénées. […] Aujourd'hui, ces liens se renforcent grâce aux échanges économiques et culturels. Notamment avec la Catalogne. Les industries de Barcelone et de Toulouse ne sont pas concurrentes, mais parfaitement complémentaires. Un bon exemple de ce désir d'ouverture : la création du réseau C6 (6 cités ou *ciudades*) qui regroupe Toulouse, Montpellier, Barcelone, Valence, Palma de Majorque et Saragosse.

L'Entreprise, n° 78, mars 1992.

REPÈRES

Airbus : voir p. 21
la CEE : la Communauté économique européenne

S'INFORMER

1. À quelles activités industrielles de la région cet article fait-il allusion ?

2. Quels reproches le journaliste adresse-t-il au maire ?

3. Quels arguments le maire de Toulouse oppose-t-il aux critiques du journaliste ?

4. Quel rôle particulier joue la région Midi-Pyrénées en Europe ? Pourquoi ?

ANALYSER COMPARER

5. Étudiez comment cette interview recoupe et/ou complète les informations fournies dans le texte précédent : « Le déséquilibre. »

6. Quel est le danger, pour une ville, de dépendre d'un seul secteur d'activités ? Que peut-on faire pour limiter ce danger ?

INFORMER

7. Vous rédigez, à l'intention d'un industriel de votre pays désireux de prendre des contacts avec la région Midi-Pyrénées, une courte note faisant la synthèse des informations qui peuvent l'intéresser.

Enseignement

LYCÉE DES ARÈNES : GÉO... ÉCO... NOUVEAU

Fort de son équipement d'avant-garde et de ses niveaux multiples (pré et post-baccalauréat), le lycée des Arènes fait une nouvelle approche géo-économique de la région. On fait largement appel à l'informatique, à l'audiovisuel et à tous les savoirs présents au bahut ▪ de la communication.

L e lycée des Arènes, on le sait, est consacré à la communication. Doté d'outils très performants en matière informatique, électronique et audio-visuel, l'établissement a pris à bras-le-corps ▪ ces nouvelles technologies et il est bien évident que les pratiques pédagogiques en sont profondément bouleversées. Ainsi en géographie et en économie, par exemple, les professeurs ont adopté des méthodes qui font intervenir ces outils novateurs et les utilisent en tenant compte aussi d'un autre mot d'ordre propre à l'établissement : l'interaction des différentes disciplines et surtout, peut-être, des différents niveaux. De quoi s'agit-il ? À partir d'un projet pédagogique conçu l'an passé, quatre professeurs ont lancé dans leurs deux classes de Première B* une grande étude sur la région Midi-Pyrénées. Dès la rentrée, l'équipe s'est insérée dans le concours « Avenir et Territoires », lancé par la DATAR* et le ministère des Affaires européennes, et trois équipes ont été constituées pour mener à bien les recherches interdisciplinaires. Un premier groupe s'est chargé des réseaux et des nœuds du territoire. On a tracé sur écran tous les carrefours routiers et ferroviaires, signifié l'attractivité des villes, leurs atouts économiques. « En fin d'opération, annoncent les enseignants, nous discuterons tout cela et lancerons des hypothèses en visio-conférence* avec des décideurs régionaux. »

Le second groupe s'est emparé des résultats électoraux, commune par commune*, canton par canton*. Une immense banque de données* régionales s'est constituée à partir de laquelle, ici aussi, on envisage des constantes, des significations qu'il faudra croiser avec d'autres.

Le troisième groupe, enfin, plus économique, a procédé à des analyses prospectives* sur le terrain. Une équipe vidéo est allée rencontrer les décideurs et restitue le tout en classe. Si dans ce dernier chapitre, les élèves de Première ont eu un coup de main ▪ des « grands » de BTS*, ceux qui travaillent sur ordinateur ont bénéficié aussi de l'aide des aînés. « C'est cela la mise en phase de tous les niveaux présents dans la maison. »

Bref, la géographie humaine a pris un sérieux « coup de jeune » aux Arènes, et dès la première, on entre de plain-pied ▪ dans l'univers de la technologie.

Jean-Jacques Rouch, *La Dépêche du Midi*, 17.12.1992.

VOCABULAIRE

un bahut : *(fam.)* un lycée
prendre à bras-le-corps : *(ici)* mobiliser toutes ses forces pour agir
un coup de main : *(fam.)* une aide
entrer de plain-pied : entrer directement

REPÈRES

la Première B : classe de la série économique des lycées, qui précède l'année du baccalauréat
la DATAR : la Délégation à l'aménagement du territoire
la visio-conférence : une réunion entre participants installés dans des lieux différents et qui communiquent par l'intermédiaire de caméras et d'écrans de télévision
une commune : unité de base de la division du territoire
un canton : division territoriale qui recouvre une ou plusieurs communes
une banque de données : un ensemble de données réunies sur des fichiers
une analyse prospective : une analyse portant sur l'avenir
le BTS : le brevet de technicien supérieur ; diplôme qui sanctionne deux années d'études professionnelles après le baccalauréat

---

S'INFORMER

1. Quelle est la spécialité du lycée des Arènes ?

2. Quel projet pédagogique les professeurs de ce lycée ont-ils conçu : thème général du projet, contexte, disciplines concernées, répartition du travail entre les élèves ?

3. Comment chaque équipe a-t-elle utilisé les moyens audio-visuels du lycée ?

ANALYSER COMPARER

4. En quoi cette expérience illustre-t-elle la préoccupation d'une « interaction des différentes disciplines » et des « différents niveaux » ?

5. Que pensez-vous de cette expérience ?

ARIÈGE, PAYS DU BOUT DU MONDE

L'Ariège a connu un passé culturel glorieux. Son économie, autrefois prospère, a été ruinée à partir du XIXe siècle, notamment à cause de l'évolution des technologies métallurgiques. Les pouvoirs publics ont favorisé l'émigration des habitants au lieu de faciliter la reconversion du tissu industriel. Les habitants de cette région du « bout du monde » ont eu le sentiment d'être délaissés par la capitale, si lointaine. C'est aujourd'hui une région qui cherche un second souffle pour s'intégrer à la dynamique de Midi-Pyrénées. Pour tenter d'expliquer ce qui fait l'originalité de l'Ariège, l'émission de France-Inter « Pays d'ici » donne la parole à quelques Ariégeois célèbres. Dans cet extrait, on entendra l'opinion de Georges Sérus, historien ; Bernard Teyssère, président du Comité officiel de promotion et d'animation de Foix et de son pays ; André Lagarde, enseignant et écrivain.

ÉCOUTER

1. Notez l'intonation sur certains mots, qui souligne l'intention de la présentatrice comme : « alors », « sauvage » ou « délaissé ».

2. Relevez les différences entre le langage parlé de la journaliste et celui des deux intervenants. Notez en particulier la différence d'accent, de rythme de la phrase entre ces derniers.

3. D'après le ton et la formulation employés à la première question posée par la journaliste, pensez-vous qu'il s'agit d'une discussion amicale, d'une enquête ou d'un débat polémique ?

S'INFORMER

4. Quelle précision souhaite apporter Georges Sérus quand, dans sa réponse à la première question de la journaliste, il demande de « mettre le terme "sauvagerie" entre guillemets » ?

5. À quoi est dû, selon B. Teyssère, l'isolement de l'Ariège par rapport à la capitale ? Comment a évolué l'attitude des habitants de l'Ariège par rapport au pouvoir central ?

6. Parmi les anciennes provinces françaises, satellisées par Paris, lesquelles sont citées dans le débat ?

7. Quels sont, parmi les thèmes suivants, ceux qui sont abordés par les intervenants : l'économie, la culture, la géographie, le dépeuplement, le caractère des Ariégeois, l'art local, la beauté des paysages, la langue, l'accent, l'histoire régionale ?

ANALYSER COMPARER

8. Quels sont, d'après vous, les facteurs qui peuvent modifier favorablement la situation de cette région par rapport au passé ?

9. Existe-t-il une situation semblable dans votre pays et, dans l'affirmative, quelle est la réaction des habitants de la région concernée ?

10. Dans un pays multilingue, êtes-vous favorable au maintien et au développement de chacune des langues parlées ou bien opteriez-vous pour l'imposition d'une langue unique ?

AUDIO 2

ACTEURS

L es intérêts du consommateur et ceux du producteur sont souvent opposés. Comment le Français, tour à tour « citoyen-consommateur » et « citoyen-producteur », vit-il ces deux rôles antagonistes ? C'est la question qui est abordée dans ce dossier et dans le suivant.

Le « citoyen-consommateur »

**À VOIR
DANS LE CAHIER D'EXERCICES**

Apprécier :
distinguer entre les faits,
les opinions, les hypothèses,
les conditions, les rumeurs
et les probabilités.

Analyser :
dégager l'articulation d'un texte.

Rédiger :
une grille d'analyse.

Au-delà des mouvements conjoncturels qui alternent périodes de prospérité et crises économiques, le Français reste attaché à deux valeurs permanentes : le besoin d'évasion, symbolisé par l'importance donnée aux dépenses de vacances et de loisirs ; le besoin de sécurité que traduit le souci d'épargner. Mais au lendemain des années 80, émerge un nouvel âge de la consommation dominé par celui que l'on surnomme : « le consommateur-caméléon ». Difficile à cerner, difficile à satisfaire, difficile à fidéliser, tel est en effet le consommateur des années 90.

CITOYEN-CONSOMMATEUR

À entendre les Français se plaindre de la réduction de leur niveau de vie ou à ne retenir de l'époque que l'émergence de la nouvelle pauvreté, on pourrait croire que la crise est en passe ▪ de nous ramener à l'époque où gagner son pain, au sens propre du mot, était la hantise majoritaire. Après des années marquées par l'aspiration au mieux-vivre, il ne s'agirait désormais que de survivre. Ceux qui partagent cette vision ne peuvent qu'être plongés dans la perplexité à la lecture des résultats de la récente enquête du CREDOC *. Interrogés sur l'usage qu'ils feraient d'une augmentation importante de leurs revenus, les consommateurs ont plébiscité ▪ à 85 % les dépenses de vacances et de loisirs, l'épargne venant au second rang avec 71 %, tous les autres postes – logement, équipement, vêtement, alimentation – restant bien loin derrière.

De telles réponses n'auraient surpris personne à l'époque de la prospérité flamboyante. Elles obligent, aujourd'hui, à se demander si la crise économique est autre chose que prétexte à doléance et si, en fin de compte, elle a le moins du monde perturbé le système de valeurs des consommateurs. Il est certes impossible de négliger la minorité de 15 % qui reste à l'écart du mouvement général. Elle nous rappelle l'existence d'une France duale où un groupe de défavorisés – chômeurs, femmes seules, petits retraités – reste de plus en plus à l'écart d'une grosse classe moyenne. Celle-ci n'ignore bien sûr pas l'existence de la crise.

L'importance qu'elle accorde à la constitution d'une épargne témoigne du sentiment d'insécurité provoqué par l'incertitude du lendemain. […]

Cette angoisse du futur finit par interdire une perception objective et rationnelle de la situation, amenant ainsi 38 % de Français à estimer que leur niveau de vie s'est dégradé depuis dix ans alors que tous les chiffres montrent le contraire. Le paradoxe est à son comble lorsque l'on constate que l'un des postes qui a le plus progressé pendant cette période de prétendue restriction est celui des dépenses de produits de beauté qui a été multiplié par 7 depuis vingt ans.

Le fait que vacances et loisirs apparaissent comme la priorité absolue doit aussi inciter les employeurs à réfléchir sur les motivations au travail de leurs salariés. Tout laissait croire à une réhabilitation du travail. Or se confirme ici la permanence des tendances lourdes ▪ caractéristiques de la société de consommation. Si la prudence le conduit à s'accrocher à son emploi, l'individu moderne place toujours au premier rang son plaisir personnel et mise d'abord sur les activités extraprofessionnelles pour y accéder. Cela veut dire qu'il ne peut être question d'arrêter les efforts qui visent à transformer le contenu du travail. Le jour où la pression exercée par la crise diminuera, les aspirations au développement personnel, mises actuellement en sourdine, ressurgiront en force.

Les entreprises doivent rester attentives à cette tendance lourde.

Favilla, *Les Échos*, 5/6.2.1993.

VOCABULAIRE

être en passe de : être sur le point de...

plébisciter : (ici) choisir,

approuver à une majorité écrasante

une tendance lourde : une tendance profonde

REPÈRES

CREDOC : Centre de recherche pour l'étude et l'observation des conditions de vie

PORTRAIT-ROBOT
D'UN CONSOMMATEUR-CAMÉLÉON

S'INFORMER

1. Dans quel contexte économique se situe l'éditorial de Favella : croissance ? stagnation ? crise ?

2. « Le paradoxe est à son comble... » Relevez dans cet éditorial les contradictions du consommateur : ce qu'il pense, ce qu'il fait.

3. Quelles sont les « tendances lourdes » qui caractérisent les habitudes de consommation des Français ?

4. L'auteur parle d'une « France duale » : comment s'exprime cette dualité ?

APPRÉCIER

5. Le regard que porte Favilla sur ses concitoyens vous paraît-il : indulgent ? neutre ? critique ?

ANALYSER
COMPARER

6. Quelles devraient être les réactions logiques des consommateurs : en période de crise ? en période de croissance économique ?

Chambardement dans les services marketing *. Le consommateur ne se comporte plus en machine prête à répondre à une sollicitation méthodique. Il devient insaisissable, impalpable. L'ère de la surconsommation l'a rendu exigeant et versatile. Picoreur ", dit-on. Le voici qui se permet désormais de faire la fine bouche ". « Le nouveau consommateur est un caméléon qui se transforme au gré des circonstances et brouille les cartes des analyses socio-géographiques traditionnelles », explique Bernard Dubois, professeur à HEC, spécialiste de la consommation.

Ce nouveau consommateur est d'abord un produit des bouleversements sociaux (démographie, modes de vie) qui créent des besoins spécifiques. Moins d'enfants, donc plus d'argent par tête. Des structures familiales éclatées (1,5 million de « foyers monoparentaux " »). Le « papy boom * » : un Français sur cinq a plus de 60 ans (+ 8 % chaque année). Le travail des femmes : 46,4 % des femmes en âge de travailler, en 1990. La vie en solo : 5,8 millions de personnes seules (+ 1 million en huit ans), en particulier dans les grandes villes, soit plus d'un ménage français sur quatre.

Dans la gigantesque classe moyenne qui a pris les commandes en vingt ans, le consommateur ne se distingue plus par son statut mais par ses modes de consommation. Saturé par une offre pléthorique, il ne recherche plus seulement un produit précis mais une identité. Or celle-ci bouge constamment. Un même individu achète des produits basiques et du haut de gamme * indépendamment des situations et de son statut. Il n'y a plus de voiture symbole d'appartenance à un milieu, de lieu de vacances obligé. [...]

Alors que le luxe se diffuse dans les grandes surfaces, les magasins discount * s'installent dans les beaux quartiers. Le rapport qualité/plaisir détrône le rapport qualité/prix. « En 1960, le consommateur prenait ce qu'il trouvait. En 1970, il achetait selon ses besoins. Dans les années 90, il choisit ce qu'il aime », précise Bernard Devez, directeur de l'institut d'études sociologiques Cofremca. Tout simplement ? Non, car le nouveau consommateur, poursuit Bernard Devez, est infidèle. « C'est un zappeur " aux facettes contradictoires. Fini les clientèles captives *, les rentes de situation ". L'heure est à la complexité. »

Enjeux-Les Échos, n° 77, janvier 1993.

VOCABULAIRE

un picoreur *(néologisme)* : quelqu'un qui goûte à tout, en petites quantités

faire la fine bouche : se montrer difficile dans ses choix

un foyer monoparental : un foyer composé d'un seul parent

un zappeur : un téléspectateur qui change constamment de chaîne à l'aide de la télécommande

une rente de situation : un revenu régulier obtenu sans effort

REPÈRES

le marketing : *(anglais)* les méthodes d'étude du marché et de commercialisation utilisées par les entreprises

le « papy-boom » : augmentation importante du nombre de personnes âgées

le haut de gamme : les produits les plus chers

un magasin discount : un magasin qui pratique des prix très bas

une clientèle captive : une clientèle qui n'est pas libre de ses choix

S'INFORMER

1. Relevez dans cet article les termes qui décrivent le nouveau consommateur dans ses comportements sociaux et dans ses habitudes de consommation.

2. Comment l'auteur résume-t-il l'évolution du consommateur français depuis 1960 ?

ANALYSER
COMPARER

3. Quelles sont les causes principales de ces changements de comportement ?

4. Que signifie la phrase : « Le rapport qualité/plaisir détrône le rapport qualité/prix » ?

« Apprendre aux enfants à analyser et verbaliser le goût de leur nourriture », cet objectif aurait certainement beaucoup surpris les instituteurs d'autrefois. L'émergence de ce besoin montre combien les conditions de vie ont changé en un siècle. En matière d'alimentation aussi, l'esprit critique des consommateurs gagne à être développé dès l'enfance pour lutter contre les mauvais produits, les publicités mensongères... et les idées reçues.

GASTRONOMES EN HERBE

Elle ne veut pas être virée *, Nathalie, cette école, elle en raffole, elle ne sécherait * un cours pour rien au monde : « On fait que manger, boire, et tout et tout. Super. » Et comment elle s'appelle, cette école de rêve ? L'éveil au goût.

Grâce à elle, Justine et ses petites camarades savent aujourd'hui faire la différence entre une Granny Smith * et une Golden *, un produit frais et un confit. « Ma mère, tu sais quoi, raconte Justine à Nathalie, l'autre jour, elle me fait un de ces trucs huileux. Là j'ai dit non. » « Tu parles, la mienne, elle veut pas aller au marché. Je suis obligée de choisir les légumes, elle y connaît que dalle *. Nulle. » Justine a aussi appris qu'une vache, ça donnait du lait, ce qu'elle ignorait. Quant au poisson, Justine le mangeait surgelé. Dans sa barquette. Elle croyait qu'il était carré. Fini, terminé, Justine, Séverine, Nathalie sont des consommatrices averties. Elles ont même gagné le concours organisé par leur école. [...]

En deux ans, on éveille au goût et « à l'ensemble des phénomènes polysensuels », dixit * un autre recteur, plus de vingt mille écoliers. Pas un n'a fait l'école buissonnière *. L'année prochaine, on espère porter ce chiffre à cent mille. Est aussi dans le coup * le CNAC, le Conseil national des arts culinaires, dirigé par Alexandre Lazareff, un énarque * gourmet qui s'ennuyait au ministère des Finances. Pour Alexandre Lazareff, cette école n'a rien de dérisoire. La preuve, elle intéresse les étrangers. « J'ai su que c'était gagné le jour où un môme * m'a dit : "Plus une pomme est rouge, plus elle est acide". Moi-même, je n'y avais pas pensé. » Il parle de lobbying* parental. L'enfant qui a croqué la pomme, on compte sur lui pour éduquer ses parents. « À l'heure européenne, l'enjeu est économique, culturel et identitaire. »

Michèle Stouvenot, *Le Journal du Dimanche*, 7.6.1992.

VOCABULAIRE

être viré : *(fam.)* être renvoyé
sécher un cours : *(fam.)* manquer un cours
que dalle ! : *(argot.)* absolument rien
dixit : *(latin)* selon, d'après ce que dit
faire l'école buissonnière : manquer l'école
être dans le coup : *(fam.)* intervenir, faire partie de
un môme : *(fam.)* un enfant

REPÈRES

une Granny Smith : nom d'une pomme verte
une Golden : nom d'une pomme jaune très appréciée en France
un énarque : un élève de l'ÉNA, l'École nationale d'administration (voir p. 24)
le lobbying : *(angl.)* ensemble d'actions visant à faire pression sur des décideurs pour influencer leurs décisions

S'INFORMER

1. Relevez les exemples qui prouvent : l'éloignement des enfants de la nature ; le manque de formation des enfants et des adultes en matière de goût.

2. Que pensent les enfants de « l'école du goût ? »

3. Quels sont, d'après les responsables, les objectifs pédagogiques de ces actions ?

APPRÉCIER

4. Comparez la manière dont les enfants et les responsables s'expriment : ce contraste est-il voulu ? Quelle est l'intention de l'auteur de l'article ?

ANALYSER COMPARER

5. Expliquez : « un phénomène polysensuel », « l'enfant qui a croqué la pomme ».

6. « À l'heure européenne, l'enjeu est économique, culturel et identitaire » : que pensez-vous de cette affirmation appliquée à l'alimentation ? Parlerait-on ainsi du goût dans votre pays ?

INFORMER

7. Résumez l'article en 80 mots.

À L'ÉCOLE DU GOÛT

Les enfants d'une classe d'école primaire suivent une séance d'« éveil au goût ».

S'INFORMER
REGARDER

La composition de ce reportage sur le plan visuel facilite la compréhension générale du sujet :

1. Illustration du thème annoncé : d'après les premières images, où sommes-nous ?

2. Qui est la première personne interviewée ? la seconde ?

3. Que montre la série des dernières images ?

4. Regardez la première séquence filmée dans une école primaire : quelle matière l'institutrice paraît-elle enseigner ? Quels éléments insolites apparaissent peu à peu, révélant le sujet du cours ? Quels sont les produits expérimentés ? D'après les gestes des élèves, à quels sens (goût, odorat, toucher, vue) l'animatrice fait-elle successivement appel ? Quels sentiments expriment les mimiques des enfants ?

S'INFORMER
ÉCOUTER

5. Qu'apprenez-vous sur la campagne d'éveil au goût ? Qui l'a lancée ? Où se déroule-t-elle ? Quels en sont les objectifs ?

6. Quels avantages l'animatrice trouve-t-elle à cet enseignement ?

7. Selon C. Fischer, pourquoi est-il important de former le goût des consommateurs ?

8. Expliquez les expressions : « l'école se met à table », « l'entraînement des papilles », « consommateur averti », « grignotage compulsif », « voracité gloutonne ».

ANALYSER
COMPARER

9. Cette formation au goût a-t-elle une place dans l'éducation générale des enfants ? Est-elle du ressort de l'école ou de la famille ?

10. Rapprochez ce reportage de l'article précédent « Gastronomes en herbe » : ces documents se complètent-ils ? se recoupent-ils ? se contredisent-ils ?

11. Une telle campagne serait-elle envisageable dans votre pays ?

INFORMER

12. Vous présentez devant une commission du ministère de l'Éducation de votre pays un compte rendu du dossier sur l'école du goût en France.

GARAGISTES : MODE D'EMPLOI

L'émission de France-Inter « Le bouillon d'onze heures », est consacrée aux garagistes. Ou l'art et la manière de bien utiliser les services d'un garagiste et de se défendre contre certains abus.

ÉCOUTER

1. Notez le ton et le style des intervenants dans cette séquence. Percevez-vous des différences ou bien des similitudes dans leur langage parlé ?

S'INFORMER

2. Identifiez les différentes parties de la séquence. Qui entendez-vous et comment caractérisez-vous l'intervention de chacun ?

3. Quels sont les qualificatifs attribués aux garagistes dans le portrait qui est fait d'eux, dès le début ?

4. La journaliste a inséré un extrait d'un sketch dans son émission. Dans quel but à votre avis ? Quels sont les deux aspects soulignés dans la caricature des garagistes faite par le comique P. Timsit ?

5. Les utilisateurs se plaignent des garagistes. Quels sont les reproches qui reviennent le plus souvent dans leurs lettres ?

6. D'après B. Genest, quelles sont les deux qualités principales d'un bon garagiste ?

7. Comment le CNPA recrute-t-il ses adhérents et qu'exige-t-il d'eux ?

ANALYSER
COMPARER

8. Comparez les réponses du vice-président du CNPA et celles de B. Genest.

9. Existe-t-il une situation semblable dans votre pays, avec les garagistes ou dans un autre secteur ?

Bientôt, nous n'aurons plus besoin d'argent pour régler nos petits achats : les banques étudient le moyen de remplacer billets et pièces par un « porte-monnaie électronique ». Mais que devient, dans tout cela, le service au client ? Conscientes qu'elles connaissaient fort mal leur clientèle, les banques adoptent désormais les méthodes les plus modernes de marketing pour répondre aux attentes très variées du « consommateur-caméléon ». Les grandes surfaces, quant à elles, tentent d'augmenter leurs ventes en offrant du rêve à des clients guettés par l'ennui ; tandis que les publicitaires s'efforcent de cerner la personnalité encore floue de l'« Homo europeanus ».

UN « PORTE-MONNAIE ÉLECTRONIQUE » À L'ÉTUDE
LE GROUPEMENT DES CARTES BANCAIRES*
PLANCHE▪ SUR LES MOYENS DE DIMINUER LE COÛT DES PETITS PAIEMENTS

Va-t-on bientôt pouvoir payer les parkings, les péages ou les transports en commun avec une carte à jetons*? C'est la question sur laquelle commence à plancher un groupe de travail constitué par le Groupement des cartes bancaires à la demande de la communauté bancaire*.

L'objectif recherché est d'abaisser le coût du moyen de paiement utilisé pour les petites transactions. Si les espèces constituent en principe le moyen de paiement le plus économique, elles posent plusieurs difficultés pratiques. D'une part, elles soulèvent un problème de sécurité lorsque le service de caisse est assuré manuellement. D'autre part, le paiement en espèces se révèle onéreux lorsque le service de caisse est automatisé et nécessite un équipement en changeurs de monnaie*. Le groupe de travail va donc explorer les besoins du marché, les solutions techniques potentielles, ainsi que l'organisation la mieux adaptée au paiement de petits montants. L'étude devrait déboucher sur la mise en place d'un moyen de paiement accepté par tous les établissements de crédit. Diverses solutions sont envisageables, parmi lesquelles celle du porte-monnaie électronique de la Poste*. Déjà expérimentée au Danemark et en Suisse, la carte « porte-monnaie »* se charge dans les agences bancaires en unités monétaires transférées du compte à vue*. Cette carte fonctionnerait donc d'une manière similaire à l'actuelle carte publiphone*.

Une autre solution pourrait consister à compléter la carte bancaire d'une fonction « jetons ». Mais dans les deux cas, en principe, cette carte prechargée ne pourra être remboursée en cas de perte ou de vol. Pour l'heure, les banques font le constat que la carte bancaire est mal adaptée aux petites transactions. En 1991, le paiement moyen effectué par carte bancaire s'élevait à 329 francs. Chaque commerçant est libre de fixer un minimum pour les paiements par carte bancaire, et la communauté bancaire estime que les petits montants sont ceux inférieurs à environ 100 francs.

Le Figaro Économie, 16.2.1993.

VOCABULAIRE

plancher : *(argot scolaire)*
préparer un travail ;
(par extension) étudier
un sujet et présenter
ses conclusions

REPÈRES

**le Groupement des
cartes bancaires :** entité qui
regroupe les grandes sociétés
émettrices de cartes bancaires

une carte à jetons :
une carte magnétique
ou à « puce » (avec
microprocesseur) utilisée pour
téléphoner des cabines
publiques, payer les parkings,
etc. ; à chaque utilisation,
le montant de la dépense est
déduit de la somme disponible

**la communauté
bancaire :** l'ensemble des
établissements bancaires

**un changeur de
monnaie :** un appareil qui
fournit de la monnaie à partir
de billets ou de pièces

la Poste : organisme public
qui assure la collecte et la
distribution du courrier ainsi
que de nombreux services
à caractère financier

**la carte « porte-
monnaie » :** une carte à
« puce » réutilisable que le
propriétaire alimente à partir
de son compte bancaire ; elle
fonctionne comme une carte
à jetons rechargeable

un compte à vue : un
compte bancaire où l'on peut
effectuer instantanément
dépôts et retraits

la carte publiphone :
une carte à « puce » utilisée
exclusivement pour régler
les communications
téléphoniques

S'INFORMER

1. Reconstituez le plan de l'étude du Groupement des cartes bancaires : définition du problème, objectifs de l'étude, démarche.

2. Quels sont les inconvénients du paiement en espèces ? Quel est le principal inconvénient de la carte bancaire classique ?

3. Quelles sont les deux solutions envisagées par le groupe de travail ?

ANALYSER
COMPARER

4. Comment est utilisée la carte bancaire dans votre pays ? Que pensez-vous des solutions proposées dans cet article ?

EXPLIQUER

5. Vous venez d'utiliser votre carte bancaire pour retirer de l'argent à un distributeur de billets placé à l'extérieur d'une banque française. Le distributeur se bloque, vous ne pouvez plus récupérer votre carte... Vous vous précipitez à l'intérieur de l'agence et vous expliquez votre problème à un employé. Jouez la scène.

LE SERVICE
N'EST PLUS CE QU'IL ÉTAIT

Georges DUPONT
15 *bis*, rue de Rome
75008 PARIS

Paris, le 16 janvier 1994

Banque du Crédit de l'Ouest
32 *bis*, rue de Rome
75008 PARIS

Monsieur le Directeur,

Je tiens à vous exprimer, par écrit, mon mécontentement, faute d'avoir pu trouver un responsable qui accepte de m'écouter quand je me suis rendu hier à votre succursale.

Je passe sur les changements continuels de votre personnel : on ne voit jamais les mêmes têtes et, réciproquement, les éphémères guichetiers ignorent complètement votre nom et vos habitudes. Et pourtant, je suis client de votre agence depuis son ouverture, il y a plus de dix ans ! À l'époque, je connaissais chaque employé et l'on était toujours accueilli comme « quelqu'un de la maison ».

Je suis particulièrement irrité par le fait qu'il y a de moins en moins de monde pour servir les clients. Résultat, des queues à n'en plus finir. Hier encore, et c'est ce qui motive ma lettre, j'ai attendu vingt minutes à 13 h 30 pour me trouver enfin devant un jeune préposé qui a été incapable de me répondre sur une question de virement à l'étranger. Il n'a su que se retrancher derrière son chef qui, malheureusement, était parti déjeuner. Quand je lui ai demandé de faire de la monnaie sur une coupure de 500 F, il a levé les bras au ciel et m'a aiguillé vers la caisse principale.

Là, une queue de quatre personnes et une caissière débordée qui n'avait pas de liquidités pour un client qui avait commandé des dollars ! Et impossible de joindre un responsable... Tout le monde était « en rendez-vous ». Au restaurant du coin probablement !

De telles pratiques sont inadmissibles et, si cela devait continuer, ne vous étonnez pas que je décide de changer de banque !

Veuillez agréer, Monsieur le Directeur, mes salutations distinguées.

G. Dupont

S'INFORMER

1. Que reproche Georges Dupont à sa banque ? Que menace-t-il de faire ?

APPRÉCIER

2. Quels sentiments exprime le client dans sa lettre ?

EXPLIQUER

3. Vous êtes le directeur de l'agence de la Banque du Crédit de l'Ouest. Vous répondez à la lettre de réclamation de Georges Dupont.

Marketing

SELON QUE VOUS SEREZ RICHE OU MISÉRABLE ■...

CE QUE VOUS CACHE LE MARKETING BANCAIRE

Vous pensiez que votre banque connaissait vos besoins et vos soucis ? En fait, elle les découvre. Jusqu'à présent, les banques classaient leurs clients en fonction d'un nombre limité de critères : catégorie socio-professionnelle, flux créditeurs *, avoirs * gérés. Attention, désormais elles se mettent à la segmentation comportementale * : nombre de cartes possédées, nombre et nature des opérations réalisées, soldes moyens, canaux de distribution * utilisés, voilà les nouveaux paramètres. [...]

Plus rien n'est laissé au hasard. Vous êtes fiché. Le but ? « Mieux répondre aux besoins du consommateur » répond Bernard Lamy, directeur du marché des particuliers à la Caisse nationale du Crédit agricole *. [...] L'avantage du marketing * bancaire est multiple : il permet de savoir comment aborder un nouveau client, que lui proposer et comment. Ce qui permet d'éviter les « erreurs » : proposer, par exemple, un crédit à la consommation * à un client qui possède des réserves importantes, offrir un placement boursier à un endetté... « Tous les segments de clientèle expriment les mêmes attentes, ajoute Christian Desriac, directeur "particuliers et professionnels" à la BNP *. Ce qui change, c'est l'intensité des différentes exigences. Tout le monde souhaite avoir une carte de crédit, mais certains se contentent d'une simple carte de retrait, d'autres veulent une carte internationale. »

Bernard Lamy n'en fait pas mystère : « Il s'agit aussi de ne pas offrir dans le même temps la même gamme de services * à tout le monde. » Sous-entendu : ces services coûtent cher, autant sélectionner. [...] Mais, sous couvert de « chasse aux gaspis ■ », les banques ne sont-elles pas en train de faire le ménage ■ ? Bref, de préférer les « bons » clients, aux dépens de ceux qui n'ont pas de moyens ?

Isabelle Maltor, *Sciences et Vie Économie*, n° 84, juin 1992.

PRESTATIONS DES BANQUES : LES PLUS IMPORTANTES (%)

	%
La gratuité des chèques	44
La gestion sans erreur de votre compte	28
La gratuité des retraits d'argent dans d'autres distributeurs que ceux de votre banque	12
Une excellente qualité des conseils financiers	9
L'esprit de service parmi les salariés des banques	4
Une information claire sur les tarifs	3

Source : Observatoire de l'opinion Association française des banques, enquête Ireq, juin 1992 (menée auprès d'un échantillon de 1024 personnes).
Enjeux-Les Échos, décembre 1992.

REPÈRES

un flux créditeur : l'argent que l'on dépose sur son compte

les avoirs : l'ensemble de ce que possède chaque client dans sa banque

la segmentation comportementale : l'identification de groupes de clients qui ont en commun certains comportements d'achat

un canal de distribution : un circuit de vente (vente directe au guichet, vente par représentants, vente par correspondance, etc.)

la Caisse nationale du Crédit Agricole (C.A.) : l'une des plus grandes banques françaises, implantée à son origine dans les zones rurales

le marketing : voir p. 37

un crédit à la consommation : un crédit destiné à financer l'achat d'un bien de consommation (voiture, mobilier, électroménager, etc.)

la BNP (Banque nationale de Paris) : l'une des quatre premières banques françaises

une gamme de services : un ensemble de services dont les prix et les performances s'échelonnent (comme les notes d'une gamme) des plus faibles (bas de gamme) aux plus élevés (haut de la gamme) ; on parle également de « gamme de produits »

S'INFORMER

1. Quels sont les intervenants qui s'expriment dans cet article : nom, établissement, fonction, opinion exprimée ?

2. Selon quels critères une banque peut-elle classer ses clients ? Comparez les méthodes utilisées « autrefois » et « aujourd'hui ».

3. Quels sont, d'après l'article, les avantages du marketing bancaire ?

ANALYSER
COMPARER

4. Qu'est-ce qu'un « bon » client pour une banque ?

5. Quel est, d'après votre expérience, le service minimum qu'une banque assure à ses petits clients ?

6. Quels sont les services et les qualités que vous attendez d'une banque ? Comparez vos réponses avec celles de l'enquête Ireq.

VOCABULAIRE

« Selon que vous serez riche ou misérable » : allusion à la fable de La Fontaine *Les Animaux malades de la peste* : « Selon que vous serez puissant ou misérable... »

la chasse aux gaspis : la chasse aux gaspillages de toute sorte

faire le ménage : *(fig.)* éliminer ce qui est indésirable

Avec PEP'S jaune,
notre épargne a de l'imagination.

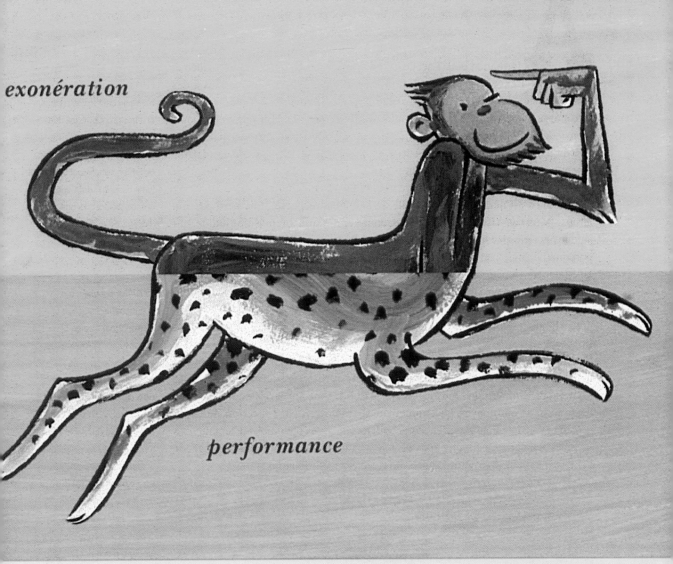

exonération

performance

PEP'S jaune vous rapporte des intérêts exonérés d'impôt sur le revenu au bout de 8 ans.

Le bon sens

Distribution

LA DISTRIBUTION
À LA RECHERCHE DU PLAISIR

EXPLORATION AU MAGASIN CARREFOUR* DU CENTRE COMMERCIAL
DE LA TOISON D'OR*, À DIJON*

Avenantes■, souriantes, agréables : la sélection des quatre-vingt-dix caissières de la Toison d'Or par Solange Lordey, vingt-six ans de caisse à Carrefour, n'a rien laissé au hasard : pas plus l'âge, toujours inférieur à trente ans, que le côté physique ou la bonne santé. Une formation pour l'accueil est dispensée à coup de projection vidéo et des critères d'excellence* sont définis dans d'épais rapports demandés à des consultants extérieurs. Il s'agit de regarder le client, mais naturellement, sans effronterie. Ou encore de le saluer, mais avec les formules d'usage, « Bonjour, monsieur », « Bonjour madame ». « Tout cela, explique-t-on à la Toison d'Or, on l'inculque, on le rabâche■. » Les visites organisées par le service de sécurité participent à cet effort : « Vous voyez un papier traîner, vous le ramassez, sinon, c'est peut-être le directeur qui sera derrière vous et qui devra le faire. »

Carrefour, c'est net, c'est confortable, le client est respecté, il ne perd pas son temps. Mais ne risque-t-il pas de s'ennuyer ? Voilà bien l'inquiétude qui aujourd'hui traverse la direction du groupe : « Progressivement, lit-on dans un rapport interne, les consommateurs "font des caddies*" pour assurer de quinzaine en quinzaine une fonction morne. Dans ce contexte, Carrefour c'est propre, c'est pas "hurleur", il n'y a pas de paquets éventrés, c'est "le mieux du morne". Mais on est dans un monde unifonctionnel. Or la vie n'est pas unifonctionnelle. » D'où la nécessité de « réintroduire un fond de flânerie », de « re-érotiser la fonction de l'hyper* ».

Ces intuitions ne sont pas vraiment présentes à la Toison d'Or. Un peu de mécénat* pour le basket dijonnais, de vagues projets avec des associations locales sur l'environnement, un fond musical laissé aux bons soins du service entretien, une décoration de patronage■ : le supplément d'âme offert par Carrefour de Dijon n'incite guère à la flânerie. L'encadrement, attaché à ses opérations discount* et à ses relevés de prix, reste convaincu qu'une opération jardinage*, entre les œufs de Pâques* et la fête des mères*, lui assurera un éternel printemps.

Nicolas Beau, *Enjeux-Les Échos*, n° 71, juin 1992.

VOCABULAIRE

avenant(e) : affable, d'un aspect agréable

rabâcher : répéter d'une manière monotone

une décoration de patronage : *(ici)* sage, conventionnelle, sans imagination

REPÈRES

Carrefour : l'une des plus importantes chaînes de magasins à grande surface de France

la Toison d'Or : nom d'un centre commercial de Dijon

Dijon : capitale de la région Bourgogne (voir p. 54)

l'excellence : référence à une théorie basée sur la recherche de l'« excellence », la perfection dans toutes les activités de l'entreprise ; cette théorie d'origine américaine a connu une très grande vogue dans les années 80

faire un caddie : faire ses achats en remplissant un chariot (un « caddie ») dans une grande surface ; il s'agit d'achats de routine, quasi automatiques

un hyper : un hypermarché ; une grande surface généralement située à la périphérie d'une ville

le mécénat : l'aide financière apportée par une entreprise à une activité sportive, culturelle ou humanitaire

une opération discount : une opération de promotion commerciale comportant des rabais sur les prix de certains produits

une opération jardinage : une action de promotion concernant le jardin et le jardinage (outillage, mobilier, produits, plantes)

les œufs de Pâques : les œufs en chocolat que l'on offre aux enfants au moment des fêtes de Pâques

la fête des mères : cette fête, célébrée en juin, fait l'objet de grandes campagnes commerciales pour inciter les enfants à offrir des cadeaux à leur mère

S'INFORMER

1. Relevez dans le texte les moyens utilisés pour : accueillir et séduire le client, embellir le cadre, promouvoir les produits, améliorer l'image du magasin.

2. Repérez les allusions faites à des rapports rédigés par des consultants extérieurs et par des services internes ; précisez l'objet de ces rapports.

3. Qu'apprenez-vous sur le recrutement et la formation des caissières ?

APPRÉCIER

4. Ce document présente-t-il une analyse neutre, favorable ou critique du fonctionnement du magasin et des préoccupations de la direction ?

ANALYSER
COMPARER

5. Quels rapports hiérarchiques suggèrent des phrases telles que « Tout cela, on l'inculque, on le rabâche » ou « Vous voyez un papier traîner... » ?

6. Reformulez autrement le jargon des rapports internes : « faire des caddies », « assurer une fonction morne », « Carrefour, c'est pas hurleur », « c'est le mieux du morne », « un monde unifonctionnel », « réintroduire un fond de flânerie », « re-éro-tiser la fonction de l'hyper » ?

7. Comparez les conclusions du rapport interne de la direction du groupe Carrefour et la façon dont fonctionne le magasin de la Toison d'Or : quelles différences constatez-vous ? Pourquoi ?

IMAGINER

8. Imaginez cinq moyens pour donner aux clients l'envie de flâner dans un hypermarché.

9. Vous êtes chargé(e) de former les vendeuses d'un magasin de produits de luxe de votre ville : quels conseils leur donneriez-vous ?

Publicité

L'EUROPÉEN ET SES HÉROS

UNE CENTAINE DE SPOTS* AU BANC D'ESSAI DE L'EUROPE DES DOUZE

L e héros de l'Européen moyen ? Il a quatre pattes, plein de poils et un regard attendrissant. Pour connaître la psychologie du futur *Homo europeanus*■, l'agence de publicité Alice et l'institut de sondage IPSOS* ont eu l'idée de faire visionner par un échantillon* de 600 Européens près d'une centaine de spots publicitaires. Grand vainqueur toutes catégories : une pub■ dénonçant la surconsommation de télévision. Si vous l'avez vu, vous ne l'avez sûrement pas oublié, ce toutou qui se désespère parce que son maître, un môme qui passe son temps devant le poste, le néglige. Après un dernier regard jeté sur la photo des temps heureux, il range dans sa valise son os et sa brosse. Adieu ami cruel. Verdict des psys■ : l'Européen moyen se sent un peu comme ce fox-terrier, impuissant à communiquer dans un monde submergé par les moyens de communication. [...]

Un autre film, d'une extraordinaire violence, confirme la sensibilité à vif de l'Européen : des mannequins drapés dans des fourrures laissent des traces de sang sur leur passage. Ce spot, commandé par le mouvement écologiste Greenpeace*, se classe au cinquième rang du « top 10 » européen*. Il est « terrifiant », « cruel » mais « fort ». Pour les causes qu'il trouve justes, l'Européen ne demande pas qu'on lui conte fleurette■.

La sensibilité commune de l'*Homo europeanus* s'arrête là. Ensuite les palmarès divergent selon les nationalités. Les Italiens privilégient les messages de séduction et de plaisir, tandis que les Allemands ne supportent pas la légèreté si elle n'a pas de finalité. Ainsi les premiers ont-ils très bien noté un film espagnol (« Prénatal* »), où l'on voit un tendre papa serrer contre lui son bébé au lieu d'être au bureau. Les Allemands, les Anglais et les Hollandais ont détesté.

L'enquête met au jour encore un curieux phénomène : les pays latins ont tendance à se laisser envahir par les références anglo-saxonnes. Pas un film français ne figure dans le « top 30 » des Espagnols, qui, en revanche, plébiscitent■ les images des Anglais.

Mais l'avancée est à sens unique : les films espagnols laissent les Allemands et les Hollandais de marbre■. Les Anglais se montrent les plus chauvins■, et les Allemands les plus européens : leur palmarès est le plus proche de la liste moyenne du panel*.

Les Français constituent un cas à part : ils raffolent de films dont le sens échappe totalement à la compréhension de leurs voisins. [...] À croire qu'il n'y a que les Français qui peuvent comprendre le Français.

Philippe Gavi, *Le Nouvel Observateur*, 10.1.1992.

VOCABULAIRE

l'Homo europeanus : l'Européen type

une pub : *(fam.)* une publicité

un psy : *(fam.)* un psychologue

conter fleurette à quelqu'un : le courtiser

plébisciter : choisir à une majorité écrasante

laisser quelqu'un de marbre : le laisser parfaitement indifférent

chauvin(e) : qui manifeste un patriotisme excessif et étroit

REPÈRES

un spot : *(ici)* un court film publicitaire diffusé à la télévision et dans les salles de cinéma

IPSOS (Institut de sondages et d'enquêtes d'opinion) : important organisme privé d'études de marché

un échantillon : *(statistiques)* une fraction représentative de la population étudiée par sondage

Greenpeace : mouvement écologiste international

le « top 10 » européen : les dix premiers du classement européen

Prénatal : entreprise spécialisée qui s'adresse à la future maman et à son enfant (habillement, layette, équipement, etc.)

un panel : un échantillon expérimental qui sert à réaliser une enquête d'opinion

DECAPSULATOR IV
THE MISSION

perrier

perrier

MALHEUR AUX DODU(E)S !

Cette émission du « Téléphone sonne », présentée par Alain Bédouet et commentée par Nathalie Fonterelle traite des « aliments allégés », les « aliments sans... ».

Maigrir, garder la ligne, rester mince, correspondre à l'image idéale forgée par la publicité et les médias, telle est la hantise que partagent hommes et femmes, adultes et adolescents.

S'INFORMER

1. Faites la liste des films publicitaires cités dans l'article en précisant, pour chacun d'eux, quels Européens les aiment et pourquoi.

2. Quelles sont les valeurs défendues ou mises à mal par chacun de ces films ?

3. Les pays latins apprécient-ils les films anglo-saxons ? Et réciproquement ?

ANALYSER
COMPARER

4. Avez-vous vu des films publicitaires français ? Si oui, que pensez-vous de la critique formulée dans l'article ?

5. Est-on sensible, dans votre pays, aux références d'une autre culture ? Si oui, de laquelle et pourquoi ? Si non, pouvez-vous expliquer cette « imperméabilité » ?

INFORMER

6. Vous voulez connaître le héros publicitaire de vos concitoyens. Élaborez en groupe un questionnaire destiné à une enquête auprès d'un large public de la télévision. Testez le questionnaire auprès des autres élèves de la classe.

7. Choisissez parmi les spots publicitaires présentés à la télévision de votre pays, celui que vous préférez. Résumez-le. Puis choisissez les qualificatifs qui permettent d'exprimer votre opinion sur ce spot. Comparez avec vos voisins.

8. Même question pour le spot publicitaire que vous détestez le plus.

ÉCOUTER

1. Notez le ton et le style des différents intervenants. Comment caractérisez-vous le langage parlé de chacun ? Y a-t-il uniformité ou disparité entre eux ?

2. Pouvez-vous identifier le thème et qualifier le ton de la chanson insérée dans l'émission ?

3. Notez également le choix du journaliste pour introduire et conclure l'émission avant son intervention. Qu'en déduisez-vous ?

S'INFORMER

4. Repérez les informations qui traduisent le succès des produits allégés.

5. À quoi N. Fonterelle attribue-t-elle cet engouement pour les régimes « allégés » ?

6. Quelles sont les personnes concernées par cette nouvelle tendance alimentaire (sexe, âge, origine géographique) ? Comment l'émission en rend-elle compte ?

7. Notez à ce propos l'expression du journaliste A. Bédouet : « faire du machisme à rebours ». Que signifie-t-elle ? En quoi cette mise au point est-elle nécessaire dans cette émission ?

ANALYSER
COMPARER

8. Existe-t-il un phénomène semblable dans votre pays ? Quelle forme prend-il ?

9. Les canons de la beauté féminine et/ou masculine ont souvent changé selon les époques. Qu'est-ce qui, d'après vous, en détermine les critères ?

SYNTHÈSE

Présentez un compte rendu écrit des documents illustrant le thème : « Quand le caméléon sert de cible. »

VOCABULAIRE

le commun des mortels : tout le monde et n'importe qui

on est foutu : *(fam.)* on est perdu

maigre comme un clou : très maigre

faire les choux gras de : faire la fortune de...

REPÈRES

Régine : chanteuse et animatrice de boîte de nuit, célèbre au début de sa carrière par son embonpoint et qui a subi une spectaculaire cure d'amaigrissement

le Chat noir : cabaret réputé du début du siècle

une fiche Minitel : une fiche remplie à partir d'une question posée par Minitel, ce terminal branché sur le téléphone qui permet de communiquer, à l'aide d'un clavier et d'un écran, avec un autre Minitel ou avec des services centraux

De la consommation à la surconsommation, il n'y a souvent qu'un pas. On pourrait citer beaucoup d'exemples de consommation excessive : de la voiture à l'électronique domestique en passant par les produits de beauté. Mais les dépenses de santé sont un exemple particulièrement révélateur, parce que les Français sont aujourd'hui les plus gros consommateurs de médicaments du monde et que les abus, dans ce domaine, mettent en péril l'ensemble du système de protection sociale.

LE MÉDICAMENT EN FRANCE : COMME LE VIN ET LE FROMAGE !

Dynasteurs – **Quel est le poids des spécificités nationales dans la consommation de médicaments ?**
Claude Le Pen[1] – Très lourd. L'appétence des Français pour les médicaments est une véritable caractéristique nationale, au même titre que notre goût pour le vin ou le fromage. Nous consultons beaucoup et nous aimons que les visites se traduisent par une prescription médicamenteuse*. Résultat : nous consommons deux fois plus que les Allemands et les Américains. [...]

Dynasteurs – Le comportement face aux médicaments est-il lié au rôle du médecin ?
Claude Le Pen – Tout à fait. Dans notre pays, le médecin se comporte davantage comme un fournisseur de produits que comme un prestataire de services. Dans un contexte de médecine libérale très concurrentielle, le praticien doit satisfaire le client pour ne pas le perdre. Prescrire est donc un élément de fidélisation. Parallèlement, nous jouissons d'une protection sociale étendue. Le frein économique ne joue donc pas. [...]

Dynasteurs – Comment devrait évoluer la consommation française de médicaments d'ici vingt ans ?
Claude Le Pen – Jusqu'à présent, la croissance s'est révélée très régulière, de 9 à 10 % par an, très peu influencée par les périodes de récession. La combinaison de la médicalisation croissante de la population et de son vieillissement va propulser la santé au premier poste des dépenses en l'an 2000. Autre phénomène : les biotechnologies* génèrent des produits extraordinaires, très puissants, très sélectifs, mais d'un coût prohibitif, comme le Centoxin, médicament contre les septicémies sévères, dont une ampoule coûte 21 000 francs... On ne pourra pas continuer longtemps à rembourser tout à tout le monde. Il faudra faire des choix dont l'opinion publique n'a pas encore conscience.

Propos recueillis par Anne Vidalie, *Dynasteurs*, mars 1992.

1) Claude Le Pen est directeur du département d'économie et du Laboratoire d'économie et de gestion des organismes de santé (Legos) de l'université de Paris-Dauphine.

REPÈRES

une prescription médicamenteuse :
une ordonnance
la biotechnologie :
l'association de la biologie et de la technologie pour créer de nouvelles molécules

S'INFORMER

1. Quelles sont les causes de la surconsommation de médicaments en France ?
2. Quelle évolution prévoit-on au cours des vingt prochaines années ?
3. Quelles sont les conséquences économiques de ce phénomène ?

ANALYSER
COMPARER

4. La situation décrite dans cette interview a-t-elle un équivalent dans votre pays ?
5. Comment est perçu le médecin dans votre pays : plutôt comme un fournisseur de produits ou plutôt comme un prestataire de services ?

CONVAINCRE

6. Débat : « Comment le médecin peut-il concilier l'intérêt de son patient et celui de l'économie du pays ? » Vous réunissez sur ce thème : des médecins, des patients, des représentants de laboratoires pharmaceutiques, un représentant d'une caisse maladie ou d'une mutuelle, un responsable du ministère de la Santé.

Le nouveau consommateur français achète « écologique », choisit des produits naturels et donne sa préférence aux marques qui respectent l'environnement.

Rompant avec la mode des vacances exotiques, il redécouvre les joies rustiques du tourisme vert et se plaît à cultiver son jardin dans les banlieues des grandes villes.

Lassé enfin des produits sophistiqués, il réclame un retour à la simplicité et à la facilité d'emploi des produits.

Produits

LE CONSOMMATEUR « VERT »

Le consommateur est un être paradoxal. Il vote écologiste, il se dit concerné par l'environnement mais il réclame toujours des fraises en hiver. Ce pour expliquer que le citoyen à l'âme vert tendre n'est pas prêt à sacrifier son confort de consommateur sur l'autel de l'écologie. « En fait [explique Anna Robert, directeur du développement de l'agence de publicité et de conseil Saatchi & Saatchi Business à Paris] il existe trois sortes de consommateurs : le "vert actif" qui fait son marché à La Vie Claire * ; le "vert passif" qui se donne bonne conscience en achetant des produits à charge minimale (lessive sans phosphates, papier recyclé, dans les grandes surfaces) ; et le consommateur "blanc" qui n'a que faire de ces subtilités. »

Dynasteurs, juin 1991.

S'INFORMER

1. En quoi le consommateur est-il « un être paradoxal » ?

2. Quelles couleurs définissent les différents types de consommateurs ? Pourquoi ce choix ?

ANALYSER

COMPARER

3. Que signifie l'expression : « le citoyen à l'âme vert tendre n'est pas prêt à sacrifier son confort de consommateur sur l'autel de l'écologie » ?

4. À votre avis, le courant « la nature au supermarché » est-il un feu de paille ou une véritable vague de fond ?

EXPLIQUER

5. Êtes-vous prêt(e) à payer plus cher des produits non polluants ? Dans quelle mesure ? Pourquoi ?

REPÈRES

la Vie Claire : chaîne de magasins qui commercialise des produits respectant les exigences écologiques

LA NATURE AU SUPERMARCHÉ

L a protection de l'environnement est désormais une nouvelle valeur de la consommation et acheter des produits « verts » est devenu un comportement à la mode. Les boutiques spécialisées se multiplient et les grands distributeurs se mettent au goût du jour en proposant des gammes « vertes » et des produits « propres » lancés à grands coups de messages publicitaires.

REPÈRES

un designer : *(angl.)* un styliste qui s'occupe d'esthétique industrielle
le format A4 : format standardisé d'une feuille de papier (21 cm x 29,7 cm)
la high tech : *(angl.)* la haute technologie
le marketing : voir p. 37
le packaging : *(angl.)* le conditionnement, l'emballage

S'INFORMER ÉCOUTER

3. Reliez vos observations précédentes au commentaire opposant « l'écologie austère », « l'écologie branchée », « l'écologie lame de fond » : les informations verbales confirment-elles les informations visuelles ? les contredisent-elles ?

4. À quoi est attribuée l'importance du phénomène écologique ?

5. Selon l'expert interviewé, quelles sont les valeurs sur lesquelles s'appuie « la vague verte » ? Dans quels domaines, autres que la consommation, ces valeurs sont-elles recherchées ?

APPRÉCIER

6. Que pensez-vous de cette présentation de l'écologie sous l'angle de la consommation ?

ANALYSER COMPARER

7. « Mode ou mouvement durable ? » : Que pensez-vous de l'intérêt du consommateur aujourd'hui pour les valeurs écologiques ?

IMAGINER

8. Choisissez un produit de grande consommation. Imaginez le scénario d'un film publicitaire destiné à vanter ses qualités écologiques.

S'INFORMER REGARDER

Observez la construction de ce document pour illustrer le thème choisi, évoqué par le mot-clé « nature » : d'abord des images de films publicitaires, puis des enquêtes sur le terrain, dans des magasins, enfin interview d'une spécialiste (avec insert d'une nouvelle publicité).

1. Dans les spots publicitaires, quels sont les types de produits présentés ? Autour de quel thème chacune de ces séquences est-elle construite ?

2. Quels sont les trois magasins où est réalisée l'enquête de terrain ? Qu'est-ce qui permet de les différencier (décor, présentation des produits, clientèle, etc.) ?

RETOUR À LA SIMPLICITÉ

Qui comprend encore ce qu'il consomme ? Quel consommateur n'est pas aujourd'hui agacé par les sophistications inutiles des produits qui l'entourent ? Le microprocesseur, chaque jour plus puissant et moins cher, permet aux designers * et aux ingénieurs d'ajouter dans une cafetière ou un téléphone des dizaines de fonctions, sans vraiment renchérir le prix de l'objet. [...]

Le téléphone intelligent à 60 touches sonne dans le vide. Pour photocopier une simple page noir et blanc format A4 *, il faut sélectionner un programme. Et si la secrétaire est en congé, qui sait « passer un fax » ?

À la maison, c'est la même chose. La puce intelligente s'est nichée dans la cafetière et le pèse-personne. Des neuf programmes du lave-linge, deux suffisent. Si le fils de quinze ans n'est pas là, personne ne sait remettre à l'heure le magnétoscope « high tech * » qui permet d'enregistrer six émissions en même temps, un mois à l'avance, avec une télécommande à 47 touches (qui a déjà essayé ?). Et si le mélomane veut programmer le quatrième mouvement de la *5ᵉ Symphonie* de Mahler sur son lecteur de disques laser, il faut qu'il soit également un peu informaticien sur les bords. [...]

Dans l'univers agité des consommateurs-caméléons, où chaque entreprise s'oblige à inventer une nouvelle version de son produit pour répondre au dernier « besoin », où les as du marketing* passent leur temps à scruter les résultats de la dernière promotion sur le nouveau packaging* d'un shampooing au miel, ne faudra-t-il pas, un instant, revenir au besoin universel ? S'intéresser à ce que la ménagère désire dans la vie plutôt qu'empiler des touches électroniques sur sa machine à laver. Savoir que le besoin du consommateur qui achète un Paris-Francfort n'est pas un billet d'avion, mais un voyage à Francfort. Bref, savoir que, même si la technique permet de fabriquer des lecteurs laser, personnalisés et programmables, le consommateur ne veut pas faire de l'informatique mais écouter de la musique.

Éric Meyer, *L'Entreprise*, n° 69, juin 1991.

Si vous réussissez ce simple test vous saurez utiliser l'IS-3000.

IS-3000 Reflex tout intégré 35-180 mm OLYMPUS

36.15 OLYMPUS

S'INFORMER

1. Présentez sous forme d'un tableau :
- les améliorations proposées par les constructeurs ;
- les inconvénients entraînés par ces améliorations.

APPRÉCIER

2. Relevez parmi les définitions suivantes celles qui s'appliquent le mieux à cet article : un compte rendu objectif du problème – un pamphlet contre la paresse des consommateurs – un plaidoyer pour simplifier les produits – un éloge de la technologie – un éloge du bon sens – une critique des excès du marketing – une attaque contre le progrès technique.

ANALYSER COMPARER

3. Pour un client, quelle est la différence entre acheter un « voyage à Francfort » et un « billet Paris-Francfort » ? Donnez d'autres exemples où l'offre ne correspond pas à la demande.

CONVAINCRE

4. Choisissez un produit et formez deux groupes :
a) l'un représente le consommateur et établit la liste des qualités et des fonctions qu'il attend du produit ;
b) l'autre représente le fabricant et dresse la liste des perfectionnements qu'il doit apporter au produit pour se démarquer de ses concurrents.

Les deux groupes comparent et discutent leurs conclusions.

Loisirs

L'ÉTÉ DES NOUVEAUX BRANCHÉS•

On nous l'a bien changé. Le Français en vacances était versatile, un vrai cœur d'artichaut• qui s'enflammait pour des mirages fluo•. Le beau, le bien, le *in*• étaient forcément à l'autre bout du monde. Pour épater, il fallait aller toujours plus loin, toujours plus fort. Il fallait revenir saoul de soleil et de souvenirs, prêt à épater la galerie• de récits époustouflants, à snober le voisin qui avait, tout simplement, fêté le mois d'août sur une modeste plage de l'Atlantique.

À force, il s'est un peu lassé. De ne pas comprendre les autochtones. Des nourritures trop épicées. Le voilà assagi, les narines frémissantes à de nouvelles senteurs : celles du terroir respirées depuis des générations, celles qui ont le parfum délicat de l'enfance. Foin de • destinations exotiques, de plages à cocotiers où l'on aimait se rôtir ! Cet été, les Français ont troqué le lointain pour le vert hexagonal. La France est devenue, aux yeux des vacanciers, un patchwork• magique à arpenter dans tous les sens. À l'assaut des gîtes ruraux (plus d'un million de clients français), des chemins creux, des paysages vierges parsemés de vieilles pierres et de fleurs des champs. Aux plages bondées de corps caramélisés, beaucoup préfèrent désormais les bords de rivière, les petits villages silencieux à l'écart des grandes routes. Les Français veulent faire dans le vrai•, le frais et l'inédit. [...]

Le tourisme vert a pris sa vitesse de croisière. [...] « La France, on devrait y aller plus souvent » : ce slogan lancé par La Maison de France, organisme d'État chargé de la promotion de notre pays, fait recette. Du coup, les loisirs des Français changent en même temps que leurs destinations. *Out*•, les sports violents, le squash, le jogging et autres tortures qui coupent le souffle et meurtrissent les articulations. Pour ces activités-là, il faut une bonne dose d'enthousiasme, de l'entraînement sinon une surveillance médicale. Les nouveaux vacanciers redécouvrent les plaisirs beaucoup plus paisibles de la marche à pied, excellente recette pour le maintien de la forme et la prévention des accidents cardiovasculaires.

Ils ne se lassent toujours pas de ceux du vélo. Le VTT• est la star de ces dernières années : en 1984, on en vendait 1 000. Aujourd'hui plus d'un million qui se déclinent en 80 marques. Très en vogue du coup, tous les articles et les vêtements des vacances au vert. Les tentes, sacs à dos, sacs de couchage, blousons confortables aux couleurs camouflage. Et retour en force de la bonne vieille gourde et du thermos. À la veille de partir en vacances, le Français investit dans le durable. [...]

Dans cette ruée sur le vert, il y a un peu de tout. Un brin de chauvinisme (si les étrangers viennent si nombreux en France, c'est que cela doit être bien) et un air du temps fortement écologique.

Judith Schlumberger, *Le Journal du Dimanche*, 16.8.1992.

VOCABULAIRE

être branché : être informé, être au courant des dernières tendances à la mode

un vrai cœur d'artichaut : *(fam. et figuré)* quelqu'un qui se laisse facilement attendrir

un mirage fluo : *(fluo : abréviation de fluorescent),* une idée, un objet ou un comportement à la mode, mais sans valeur réelle, superficiel

le in : *(angl.)* ce qui est à la mode, au goût du jour

épater la galerie : *(fam.)* surprendre son entourage

foin de ! : expression vieillie pour marquer le mépris, le dégoût

un patchwork : *(angl.)* tissu composé de morceaux disparates cousus entre eux

ils veulent faire dans le vrai... : *(fam.)* ils veulent choisir ce qui est authentique (par opposition à artificiel)

out : *(angl.)* dehors, passé de mode, abandonné (par opposition à *in*)

le VTT : le vélo tout terrain

UN PETIT COIN DE PARADIS

Les « jardins ouvriers » offrent aux citadins la possibilité de s'adonner aux plaisirs du jardinage au cœur même des villes.

S'INFORMER

1. Comparez les préférences touristiques et sportives des Français, « hier » et « aujourd'hui ».

2. Quelles sont, d'après le texte, les raisons de cette évolution ?

APPRÉCIER

3. Quel regard Judith Schlumberger jette-t-elle sur le Français en vacances : neutre – irrité – amusé – attendri – admiratif – ironique ?

4. Cet article vous fournit-il un aperçu suffisant des nouvelles tendances du tourisme français ? Auriez-vous souhaité d'autres informations ?

ANALYSER
COMPARER

5. Expliquez les expressions : « le vert hexagonal », « un patchwork magique ».

6. Quelles conséquences le tourisme vert a-t-il sur les « paysages vierges... » et la vie des paysans ?

INFORMER

7. En vous inspirant du ton de cet article, tracez le portrait de votre concitoyen en vacances.

IMAGINER

8. Vous réunissez des représentants des industries du tourisme de votre pays (hôteliers, responsables locaux, responsables de l'équipement, moniteurs sportifs, etc.) pour étudier les retombées des nouveaux goûts des touristes français sur le tourisme de votre pays : que faire pour lutter contre une désaffection éventuelle de cette clientèle ? Que proposer aux « nouveaux branchés » pour les attirer chez vous ?

S'INFORMER
REGARDER

Observez la construction de ce document pour illustrer le thème choisi ici :

1. Que montre l'enchaînement rapide d'images très contrastées et quelles sont d'après vous les raisons de ce type de montage ?

2. Où sont interviewées les personnes qui apparaissent à l'écran ? Que font-elles et qui sont-elles (âge, profession...) ? Quels sentiments exprime leur visage quand elles parlent ?

S'INFORMER
ÉCOUTER

3. Où sont situés les jardins présentés dans ce document ?

4. Qu'apprenez-vous sur la Ligue française du coin de terre : importance, histoire, implantation, objectifs ? Comment a-t-elle évolué ?

ANALYSER
COMPARER

5. Quelles sont les motivations des jardiniers ?

6. Comment les citadins de votre pays tentent-ils d'échapper aux servitudes de la ville ?

EXPLIQUER

7. Vous écrivez à un ami pour lui expliquer l'expérience des jardins ouvriers.

CARTE D'IDENTITÉ

Nom : Bourgogne.

Superficie : 31 600 km².

Population : 1,6 million d'habitants
(2,85 % de la population française).

Densité : 51 hab./km² (l'une des régions les
moins peuplées de France).

Capitale : Dijon (220 000 habitants),
l'ancienne capitale des ducs de Bourgogne.

Activités : l'agro-alimentaire et la viticulture,
moteur de l'activité économique de la région ;
la pharmacie et la parachimie, les services et
le tourisme.

Taux de chômage (1993) : 11,2 %.

Spécialités culinaires : la moutarde, le cassis,
les escargots, le pain d'épice,
la poularde de Bresse, le vin.

Patrie de : Lamartine, Colette, Jules Renard.

DIJON	capitale régionale	plus de 100 000
Auxerre	préfecture	de 50 000 à 100 000 hab.
Chalon	sous-préfecture	de 25 000 à 50 000 hab.
Vézelay	autre ville	moins de 25 000 hab.

limite de département
autoroute
route nationale
ligne TGV
aéroport

AU PAYS DE L'HUMANISME

Pour les Français et les étrangers bons connaisseurs de notre province, le
nom de Bourgogne évoque immédiatement une région respirant la joie de
vivre et offrant au visiteur deux pôles d'intérêt exceptionnels : la richesse
artistique et la gastronomie. [...] Si la Bourgogne attire les plus fins amateurs de peinture et d'architecture, c'est encore davantage aux produits de
son terroir ou de son industrie agro-alimentaire qu'elle doit sa réputation mondiale de
terre de la joie de vivre. Et tout d'abord bien sûr, ses vins, d'autant plus célèbres que
leur nom désigne un terroir plus limité : Chambertin, Corton, Romanée-Conti. [...]
Bien entendu, la Bourgogne ce n'est pas seulement la vigne, en fait très minoritaire,
mais les herbages et bocages du sud-ouest, la grande culture de l'Yonne, la polyculture
bressane, sans oublier les forêts du Morvan ou du Châtillonnais. Ce n'est pas seulement l'agriculture, c'est aussi l'industrie, ancienne dans la Nièvre et une partie de la
Saône-et-Loire, où elle est parfois en difficulté, plus récente pour les villes de l'A6* et
à Dijon ; c'est aussi un secteur tertiaire*, particulièrement étoffé dans la capitale régionale. [...] Reste qu'il existe bien une personnalité bourguignonne, dans la diversité,
comme aussi des constantes dans l'histoire de la province. [...] Largement ouverte sur
l'extérieur, elle est pourtant restée elle-même. Elle a ignoré le gigantisme des concen-
trations urbaines nées de la révolution industrielle. Aujourd'hui encore ses villes,
même Dijon, restent à la mesure de l'homme ; ses campagnes se sont modernisées
sans trop altérer les paysages harmonieux hérités du passé ; le mot d'« humanisme »
vient spontanément sous la plume. La Bourgogne, en cette fin du XXᵉ siècle, se trouve
confrontée au problème du développement, avec le handicap de densités dans
l'ensemble faibles – inférieures de moitié à la moyenne française –, d'un réseau urbain

REPÈRES

l'A6 : l'autoroute A6, qui relie
Paris au sud-est de la France

le secteur tertiaire :
le secteur des services

périphérique, de zones entières dépeuplées et vieillies ; mais aussi ces atouts que sont les communications souvent excellentes, un environnement agréable, une bonne « image de marque ». [...] La Bourgogne demeure certes, statistiquement une région « moyenne » à l'échelle de la France. Néanmoins elle a su jusqu'ici s'adapter aux exigences économiques de notre époque, tout en préservant une certaine douceur de vivre qu'on dit volontiers « provinciale ».

Yves Baticle, *La Bourgogne*, Éditions Horvath.

S'INFORMER

1. L'auteur cite plusieurs des activités économiques de la Bourgogne : lesquelles ?

2. Quels sont les avantages et les handicaps de cette région ?

ANALYSER COMPARER

3. Comment peut-on définir l'« humanisme » pour une région ?

4. Aviez-vous entendu parler de la Bourgogne avant de lire ce texte ? Si oui, l'image que vous aviez de cette région répondait-elle à cette évocation ?

Industrie

AUTUN : LA VILLE QUI REMODÈLE SES VISAGES

À quelque deux kilomètres du centre-ville, le parc d'activité Autun-Bellevue sort progressivement de terre. Sur une surface totale de 130 hectares, une trentaine viennent d'être aménagés. Cette première étape d'un vaste projet destiné à doper l'économie locale comprend les voies d'accès au parc, financées à hauteur de 2,3 millions de francs par le Conseil régional*, et une pépinière d'entreprises*.

Pensée comme un maillon entre ville et campagne, la pépinière d'entreprises possède deux types de constructions distinctes. Les trois bâtiments d'une ancienne ferme, entièrement rénovés à l'ancienne, ont été reliés par d'autres plus modernes en bardages laqués blanc. Cette confrontation brutale entre tradition et modernité illustre à merveille la phrase de l'auteur bourguignon, Lucien Braudel : « Un présent sans passé n'a pas d'avenir. » Espace de travail, où sept entreprises sont déjà domiciliées, la pépinière offre aussi, par son implantation – sur un terrain en pente qui domine le parc – une image d'espoir : celle d'un tremplin vers le développement. À terme, trois autres zones (commerce et artisanat, industrie et services) viendront compléter ces réalisations.

Bourgogne, Journal d'information de la région Bourgogne, mars 1993.

REPÈRES

une pépinière d'entreprises : site destiné à accueillir de jeunes entreprises qui bénéficient de locaux à prix réduits et de services communs (accueil, secrétariat, conseil juridique, comptabilité, entrepôts, etc.)

le Conseil régional : voir p. 23 (la région)

S'INFORMER

1. Quels sont les objectifs du parc Autun-Bellevue ? À qui est-il destiné ? Que comporte-t-il actuellement ? Que comportera-t-il lorsqu'il sera terminé ?

APPRÉCIER

2. Ce document est extrait d'un journal d'information publié par le Conseil régional de la Bourgogne : relevez tout ce qui tend à présenter cette réalisation sous son meilleur jour et à valoriser le rôle du Conseil régional.

ANALYSER COMPARER

3. Que pensez-vous de la formule : « Un présent sans passé n'a pas d'avenir. » Donnez quelques exemples pour justifier votre opinion.

Art et technologie

L'ABBAYE DE CLUNY RESSUSCITÉE

Le 25 octobre de l'an 1088, l'abbé Hugues de Semur pose la première pierre de la troisième église abbatiale de Cluny [...] dont la nef mesure 37 mètres de haut, 42 mètres de large, 187 mètres de long. Seule Saint-Pierre-de-Rome est plus longue !

La Révolution a respecté Cluny. Bien sûr, dans les premiers jours, elle fut un peu égratignée. Puis elle s'est endormie. Et un jour, on l'a vendue.

Alors froidement, sans l'excuse de la passion, on l'a éventrée à la mine. On l'a dépecée à la pioche... misérablement. Quand on s'est arrêté de casser, il ne restait presque plus rien. Juste de quoi se souvenir.

En 1990, trois jeunes ingénieurs de l'ENSAM (l'École nationale supérieure des arts et métiers) décident de reconstruire l'abbatiale de Cluny. Leur atelier : un puissant ordinateur. Leur outillage : des logiciels* de conception assistée par ordinateur. À partir du plan qui se trouve dans le musée de Cluny, ils mesurent, calculent et reportent le plan de l'ordinateur. Le plan est reconstitué en trois dimensions. Les détails sont reconstitués. Et des personnages en images de synthèse hantent à nouveau l'abbaye qui revit à l'écran.

D'après *L'Idée*, n° 9, septembre/octobre 1992.

REPÈRES

un logiciel : un programme informatique

S'INFORMER

1. Quelles grandes étapes de l'histoire de l'abbaye de Cluny sont évoquées ici ?

2. Qu'a permis de réaliser l'ordinateur ?

ANALYSER

COMPARER

3. L'image de synthèse, animée sur un ordinateur, peut-elle s'appliquer à d'autres domaines ?

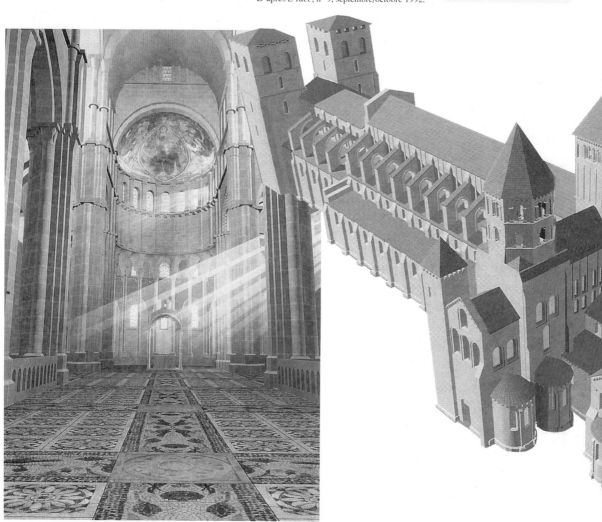

Tourisme

CES FERMES QUI VOUS HÉBERGENT

Fermières de choc la semaine, aubergistes de charme le week-end. En Bourgogne, elles sont officiellement une trentaine à faire le pari qu'à l'aube du troisième millénaire, il est encore possible de vivre de ses terres... en étant souvent trente ou quarante à table le soir.

Et cela, pour le plus grand plaisir des amoureux d'un terroir que la mode a fait ressurgir dans une France où l'on voyait avec tristesse disparaître cafés et auberges de village. Il aura suffi de quelques années pour voir naître un phénomène : à l'approche du week-end, dès les premiers rayons du soleil, une foule cosmopolite remplit des fermes pas tout à fait comme les autres. Des fermes où les gens de la maison vous servent uniquement des « produits maison ».

Une vraie ferme-auberge peut bien être située dans un ancien bistrot ou un vieux moulin. L'essentiel est que le local appartienne à l'exploitation et qu'il soit géré par l'exploitant qui vous fera déguster sur place ses produits-maison. [...] Si ces agriculteurs ont choisi le tourisme rural, c'est qu'ils étaient déjà convaincus, dès les années 80, que la simple production agricole ne pourrait plus suffire à faire vivre une famille entière. Restait à trouver la formule la mieux adaptée à leurs besoins. Fermes-auberges, fermes-équestres, camping à la ferme, accueil d'enfants, chambres et tables d'hôtes... tous ces produits garantis par une charte et un logo leur permettent de rester sur leurs terres en assurant un revenu d'appoint. En signant la charte, les agriculteurs se sont engagés à vous offrir une qualité et une fraîcheur de produits exemplaires, des menus du terroir et des vins de producteurs régionaux. Tout cela servi dans une vaisselle en grès ou en porcelaine. [...] Produit appartenant à la fois au monde de l'agriculture et à celui du tourisme, la vraie ferme-auberge entend demeurer dans la première catégorie. Un moyen de mieux se démarquer des contrefaçons qui, dans d'autres régions surtout, servent des repas à plusieurs centaines de personnes. Ici, le maximum est d'une cinquantaine.

Nos fermes-auberges bourguignonnes, avec leurs différentes formules, sont uniques. Souhaitons que cela dure !

Bourgogne, Journal d'information de la région Bourgogne, mars 1993.

S'INFORMER

1. Qu'est-ce qui caractérise la « vraie ferme-auberge » et la différencie des contrefaçons ?
2. Quel est l'intérêt de cette formule pour les agriculteurs ?

ANALYSER
COMPARER

3. Montrez en quoi la ferme-auberge est bien un « produit appartenant à la fois au monde de l'agriculture et à celui du tourisme ».
4. Relisez l'article « L'été des nouveaux branchés », p. 52 : comment la ferme-auberge répond-elle aux attentes du nouveau touriste ?

ACTEURS

Le « citoyen-producteur »

**À VOIR
DANS LE CAHIER D'EXERCICES**

Comparer :
analyser un tableau
de données chiffrées,
un graphique,
un document comparatif.
Rédiger :
un tableau comparatif,
une synthèse de texte.

Dès 1961, l'économiste et sociologue Jean Fourastié prédisait dans *Les 40 000 heures,* son livre le plus célèbre, la profonde transformation des conditions de travail dans les sociétés industrielles. Progrès scientifique et découvertes techniques ont, en quelques décennies, bouleversé la notion de travail et réduit considérablement la proportion des ouvriers par rapport aux autres catégories d'actifs. C'est le constat de Jean Boissonnat, l'un des plus écoutés parmi les journalistes de la presse économique, à travers la fiction d'une lettre à un ancien syndicaliste. Le « robot-laveur » illustre le rôle prépondérant de la machine dans cette mutation... que le « citoyen-consommateur » n'apprécie pas toujours ! Mais les ouvriers ne sont pas les seules victimes du progrès et l'informatique chasse peu à peu des employés devenus inutiles.

LA FIN DES OUVRIERS

Mon cher Eugène,

Le vieux syndicaliste que tu es, retiré des affaires après une vie militante ▪ bien remplie, demande dans ta dernière lettre à son ancien compagnon que je suis, devenu patron au hasard de l'existence, ce qu'il fait pour les ouvriers. Je vais être provocateur avec toi : je les fais disparaître. Dans vingt ans, la France comptera moitié moins d'ouvriers qu'aujourd'hui. Et ceux qui resteront auront changé de nom. Pourquoi ?

Les progrès de la productivité* dans les usines avancent à une vitesse prodigieuse. Sais-tu que la nouvelle usine d'aluminium que Pechiney* a mise en route, ces jours-ci, à Dunkerque*, va produire la moitié de l'aluminium consommé en France avec seulement 500 salariés ? Tout à côté, l'aciérie d'Usinor-Sacilor* a réduit ses effectifs de moitié sans réduire sa production.

Quant aux ouvriers qui restent, leurs fonctions sont en train d'évoluer très rapidement. Chez moi, j'ai décidé de supprimer les contremaîtres*. Les ouvriers – que j'appelle désormais « opérateurs » – sont regroupés en petites équipes au sein desquelles chacun assume, à tour de rôle, des tâches de contrôle, de maintenance et de coordination. En cas de besoin, ils vont chercher les compétences techniques qui peuvent leur faire défaut ▪ – bien qu'ils aient reçu un complément de formation – auprès de « superviseurs » qui agissent, en fait, comme des consultants* internes. Et ils font directement un rapport aux ingénieurs de leur secteur. Finis les tâches répétitives, le poids des petits chefs, la dévalorisation sociale.

Je connais tes objections : qui va faire les petits boulots ▪ sans intérêt ? Et que va devenir la société sans la « mémoire » et l'action de la classe ouvrière, seule catégorie sociale – après les paysans – qui ait véritablement conscience de son existence en tant que groupe ? Bonnes questions.

Les petits boulots, il y en aura toujours et il en faut. Car tous les êtres humains ne sont pas également doués et ceux qui le sont moins – ou ne le sont pas encore – ont besoin de gagner leur vie, comme tout le monde. Mais ce seront souvent des emplois de passage ou à temps partiel. [...]

Voilà, cher Eugène, comment je vois les choses.

À te lire bientôt.

Jean Boissonnat, *L'Entreprise*, n° 78, mars 1992.

VOCABULAIRE

une vie militant(e) : une vie combat, de lutte pour une cause (syndicat, parti politique, religion)

faire défaut : manquer

un boulot : *(fam.)* un travail

REPÈRES

la productivité des entreprises : le rapport entre les résultats de l'entreprise et les moyens mis en œuvre (humains, financiers, techniques)

Pechiney : groupe industriel dont l'activité d'origine est la production d'aluminium

Dunkerque : port de la mer du Nord

Usinor-Sacilor : groupe sidérurgique implanté principalement dans l'est et le nord de la France

un contremaître : un agent technique responsable d'une petite équipe d'ouvriers

un consultant : un conseiller d'entreprise

S'INFORMER

1. Qui sont l'auteur réel, le rédacteur supposé et le destinataire de la lettre ?

2. Qu'apprenez-vous sur le rédacteur supposé (sa carrière, sa personnalité) ?

3. Dégagez le plan de cette lettre.

4. Comment le rédacteur réfute-t-il, à l'avance, les objections de son correspondant ?

APPRÉCIER

5. Que pensez-vous de cette formule de « lettre-éditorial » ? À quel objectif répond-elle ?

ANALYSER

COMPARER

6. En quoi la solution préconisée par Jean Boissonnat est-elle « provocante » ? Quels arguments utilise-t-il pour justifier sa solution ?

7. Comparez l'organisation traditionnelle de l'usine (ingénieurs, contremaîtres, ouvriers) avec la nouvelle organisation proposée ici ?

8. Ces réflexions s'appliquent-elles aux entreprises de votre pays ? Si oui, avec quelles nuances ? Si non, pourquoi ?

INFORMER

9. Vous exposez à un collègue – en utilisant vos propres termes – les idées de Jean Boissonnat.

LE ROBOT-LAVEUR

L e robot capable de remplacer l'homme dans des tâches dangereuses ou acrobatiques : telle est la vocation du robot-laveur expérimenté à Paris.

REPÈRES

Pei (leoh Ming) : architecte d'origine chinoise qui a conçu la pyramide du Louvre

VOCABULAIRE

un poumon d'acier : machine qui supplée une insuffisance pulmonaire en aidant un malade à respirer

S'INFORMER
REGARDER

Observez la construction de ce document pour illustrer le thème choisi :

1. Quel est le contraste montré dès les premières images ?

2. Quel type de machine est ensuite présenté, identifié au cours d'une démonstration ?

3. Qui est la personne interviewée?

S'INFORMER
ÉCOUTER

4. Portrait du robot : qui l'a conçu ? comment fonctionne-t-il ? quelles sont ses dimensions, ses capacités ?

5. Quel rôle revient à l'homme dans le fonctionnement du robot ?

6. Comment, dans ce reportage, le robot est-il présenté, et quel effet cela produit-il ?

APPRÉCIER

7. La machine a-t-elle déjà remplacé l'homme ou est-elle sur le point de le faire dans un nombre toujours croissant de domaines ? Illustrez votre point de vue.

INFORMER

8. Vous rédigez deux brefs articles pour présenter le robot-laveur :

– l'un destiné à la presse grand public (type magazine de week-end) ;

– l'autre destiné à une revue industrielle.

MACHINE À TOUT FAIRE

Connaissez-vous la nouvelle ligne de métro lyonnais ? C'est très beau : verre, béton, inox ▪... L'autre jour, je réalisai que la rame ▪ qui venait d'entrer dans la station terminus était totalement vide. Même pas de conducteur !

En sortant pour prendre le TGV*, je me rendis compte qu'il n'y avait pas un seul employé visible dans la gare ! Partout, la machine, omniprésente : machines pour distribuer les billets, machines pour les poinçonner, machines pour vous empêcher de passer, machines pour vous renseigner, machines pour balayer, machines pour distribuer du pognon ▪... et machines pour vous en reprendre, machines pour boire... et machine pour pisser ▪ !

Enfin, au détour d'un couloir triste, j'aperçus une boutique éclairée... c'était une sorte de « SOS amitié* ». En approchant, je pus lire l'enseigne : « Quelqu'un à qui parler. » Déception, la boutique était fermée. Déjà en faillite* ?

Devant, un téléphone : la machine à qui parler ! Le combiné pendait, à moitié arraché... Dessus, écrit au feutre noir : « En panne ! »

Demain, je sens bien qu'on installera à côté un distributeur de seringues et de méthadone*... : la machine à se droguer...

Et, un peu plus loin, on mettra une cabine du genre Photomaton* : « Mettez une pièce de 10 francs, placez-vous devant la glace, appuyez sur le bouton. » Pan ! : la machine à se flinguer ▪.

G. Manevy, 91 Bièvres.
Courrier des lecteurs, *Le Point,* n° 1067, 27.2.1993.

VOCABULAIRE

l'inox : l'acier inoxydable
une rame : l'équivalent de « train » pour le métro
le pognon : *(pop.)* l'argent
pisser : *(vulgaire)* uriner
se flinguer : *(fam.)* se tuer, se suicider

REPÈRES

un TGV : un train à grande vitesse
« SOS amitié » : association d'aide aux personnes en détresse
une faillite : situation d'un commerçant qui doit cesser ses activités faute de pouvoir payer ses créanciers
la méthadone : substitut médical aux drogues dures
un photomaton : cabine automatique de photos d'identité installée dans les lieux publics

S'INFORMER

1. Où se situe la scène décrite par l'auteur de cette lettre ?
2. Dégagez le plan de la lettre. Où commence la fiction ?
3. Relevez dans le texte toutes les activités où la machine a remplacé l'homme et comparez « autrefois » et « aujourd'hui ».

APPRÉCIER

4. Par quels procédés l'auteur de la lettre cherche-t-il à vous faire partager sa vision de la situation ? Y réussit-il ?

ANALYSER

COMPARER

5. Caractérisez le décor de la gare envahie par la machine.

Quelle impression se dégage de cet univers ?
6. Pour quelles raisons la machine a-t-elle remplacé l'homme dans le métro et le train ? Quels sont les avantages et les inconvénients de cette évolution ?

INFORMER

RÉCLAMER

7. Vous vivez en 1963 : vous écrivez au « courrier des lecteurs » du *Point* pour vous plaindre de l'inefficacité du personnel employé dans le métro (absentéisme, lenteur, agressivité, etc.), ainsi que de leurs mauvaises conditions de travail (environnement, horaires, etc.).

LA MORT LENTE DE L'EMPLOYÉ DE BANQUE

LA BANQUE INNOVE, S'INFORMATISE, AUTOMATISE...
ET POUSSE À LA PORTE SES GRATTE-PAPIERS ■, SES EMPLOYÉS ADMINISTRATIFS

« **P**our gérer la croissance du début des années 70, les banques ont d'abord embauché, résume Bernard Lemée, directeur des ressources humaines* de la BNP*. Puis elles ont commencé à s'informatiser. Mais une informatisation, cela se passe en trois temps. D'abord, on installe l'architecture technique, avec des terminaux dans toutes les agences. Puis on commence à faire fonctionner le système en double, tout en gardant les procédures sur papier d'avant. Jusque-là les effets sont modestes. Enfin, on bascule. Et alors, ça va très vite. » Un seul tapotis ■ sur terminal vide vingt postes de leur substance : les « mécanographes » qui introduisaient les données dans l'ordinateur, les techniciens qui sortaient les listings*, les contrôleurs qui les vérifiaient, les coursiers qui les dispatchaient ■ dans les agences... Précisions de Bernard Lemée : « En 1989, nous avons informatisé 50 types de transactions* ; en 1992, 400. » [...]

Les administratifs assistent, sonnés ■, à la lente implosion ■ de leur emploi. « Régulièrement, il y a de nouveaux systèmes qui menacent telle ou telle équipe. Les bureaux se vident, il y a de moins en moins de gens, de moins en moins de papier et de plus en plus de terminaux* », témoigne, en essayant de ne pas céder au découragement, Nadine Lemoine, déléguée CFDT*. Agnès, elle, déprime : « C'est terrible : vous faites un travail qui vous plaît et puis, du jour au lendemain, le travail disparaît. Vous changez de poste, votre nouveau travail s'enfuit à son tour. Alors, l'après-midi, il faut faire traîner le peu de tâche qui vous reste pour tenir jusqu'à la sortie. Les gens ne parlent plus que de cela. On est en train de pourrir sur place. »

Éric Aeschimann, *Libération*, 9.3.1993.

VOCABULAIRE

un gratte-papier : *(péjoratif)* un employé administratif

un tapotis : un petit pianotement sur le clavier de l'ordinateur

dispatcher : *(angl.)* répartir, distribuer

être sonné : *(fam.)* être assommé

une implosion : *(imagé)* un effondrement sur soi-même

REPÈRES

directeur des ressources humaines : poste qui regroupe l'ensemble des activités liées au personnel (recrutement, gestion des carrières, formation, administration du personnel, etc.)

la BNP : voir p. 42

un listing : *(angl.)* document informatique qui sort des imprimantes sous forme continue

une transaction : *(ici)* un ensemble d'opérations informatiques nécessaires pour traiter une procédure (enregistrement d'un chèque, virement...)

un terminal : poste informatique relié à un ordinateur central

la CFDT (la Confédération française démocratique du travail) : important syndicat de salariés

---

S'INFORMER

1. Quelles sont, d'après l'article, les étapes de l'informatisation d'une banque ?

2. À partir de quel moment a-t-on besoin de moins de personnel administratif ? Quels sont les postes les plus touchés ?

3. Quels sont les sentiments des employés ? Relevez dans le texte les mots qui traduisent ces sentiments ?

APPRÉCIER

4. Ce bref extrait vous paraît-il donner un aperçu objectif des différents aspects de l'informatisation des postes ?

5. Quel effet produit la juxtaposition du commentaire de la direction et des réactions du personnel ?

ANALYSER
COMPARER

6. La qualité du service est-elle affectée par l'informatisation des banques ? (comparez cet article avec la lettre du client publiée dans le dossier 2, p. 41).

7. Si vous travaillez, avez-vous ressenti dans votre entreprise les effets de l'informatisation ? Dans ce cas, quelles ont été les conséquences pour le personnel ?

L'entrée dans la vie professionnelle ressemble de plus en plus à une course d'obstacles qui laisse plus d'un jeune sur cinq au chômage. À qui la faute ? Au système scolaire qui s'acharne à former des « spécialistes » incultes et inadaptés aux besoins réels des entreprises ? Aux entreprises, incapables de définir clairement leurs besoins ? Ou à la fascination française pour les diplômes ?

« CESSONS DE FABRIQUER DES INFORMATICIENS ANALPHABÈTES ! »

La France adore les diplômes. Elle en décerne des centaines, de toutes sortes. À quoi cela sert-il ? Dans la plupart des cas, à pas grand-chose. Mais ne pas en avoir ferme toutes les portes. Le diplôme est donc un facteur légal d'exclusion sociale. On nous martèle ▪ tous les jours l'objectif des 80 % d'une génération au bac*. Mais qui parle des 20 % restants, c'est-à-dire 160 000 jeunes par an ! La course aux diplômes est une catastrophe nationale : elle crée des rentiers d'un côté et des laissés-pour-compte ▪ de l'autre, quasi exclus du monde du travail parce qu'ils n'ont pas de parchemin ▪.

Or un diplôme n'est nullement synonyme de compétence. On confond éducation, qualification, professionnalisme. L'entreprise demande à l'école de produire des salariés non pas plus qualifiés mais plus professionnels. C'est-à-dire d'abord capables de lire, écrire, compter et parler correctement, ce qui est loin d'être le cas aujourd'hui. Cessons donc de former des informaticiens analphabètes ! Et puis il faut être créatif, ouvert, capable d'apprendre à apprendre, avoir le souci de la qualité et du savoir-faire. C'est pourquoi il est inutile de multiplier les filières ▪ pointues ▪. Il y aura besoin de six fois plus de secrétaires, de caissiers et d'infirmières que d'analystes-programmeurs* ou d'ingénieurs.

Michel Godet[1], *Le Nouvel Observateur*, 23.5.1991.

[1]. Michel Godet est professeur de prospective industrielle au CNAM (le Conservatoire national des arts et métiers, qui forme des économistes et des ingénieurs).

S'INFORMER

1. « La France adore les diplômes. » Quelles sont les conséquences de cette passion pour : le système éducatif ? les étudiants ? les employeurs ?

2. Selon Michel Godet, quelles qualités attend-on désormais de ceux qui travaillent dans une entreprise ?

3. L'école répond-elle à ces attentes ? Pourquoi ?

4. « On nous martèle... » : Qui est « on » ? Qui est « nous » ?

APPRÉCIER

5. Caractérisez l'attitude de l'auteur : neutre, passionnée, indifférente, critique, enthousiaste, etc. ?

ANALYSER
COMPARER

6. L'auteur oppose « éducation », « qualification » et « professionnalisme » : recherchez dans un dictionnaire le sens de ces trois termes.

7. Quels arguments les partisans des « filières pointues » pourraient-ils opposer à Michel Godet ?

8. Ce problème de formation se pose-t-il dans votre pays ? Si oui, en quels termes ? Si non, pour quelles raisons ?

VOCABULAIRE

marteler : *(fig.)* répéter avec insistance

un(e)-laissé(e)-pour-compte : quelqu'un dont on ne veut plus

un parchemin : *(fam.)* un diplôme

une filière : une succession d'états, de degrés à franchir ; on parle d'une « filière de formation », d'une « filière professionnelle »

pointu : *(ici)* spécialisé

REPÈRES

le bac : le baccalauréat, examen qui marque la fin des études secondaires

un analyste-programmeur : celui qui analyse les problèmes à informatiser et conçoit les programmes correspondants

QU'EN PENSENT LES PATRONS ?

Cent quinze jeunes dirigeants répondent aux questions de *L'Entreprise* sur le rapprochement école-entreprise.

1. Face aux besoins des entreprises, diriez-vous aujourd'hui que l'Éducation nationale remplit sa mission :

Très bien	0 %
Bien	2 %
Moyennement	55 %
Mal	31 %
Ne remplit pas sa mission	12 %

2. Êtes-vous confronté dans votre entreprise au problème de l'illettrisme * ?

Oui	30 %

3. Pensez-vous qu'une collaboration école-entreprise permettrait d'améliorer les objectifs de qualification des entreprises ?

Oui	100 %

4. Vous devez embaucher. Préférez-vous recruter (notez de 1 à 4) :

1. Un jeune sans qualification mais avec du « potentiel ».
2. Un jeune sans qualification mais ayant une bonne culture générale.
3. Un jeune ayant une qualification professionnelle quitte à ce qu'elle ne corresponde pas à votre besoin.
4. En passant par une phase de stage.

L'Entreprise, n° 68, mai 1992.

VOCABULAIRE

l'illettrisme : situation de ceux qui sont illettrés ; (par exemple, 20 % des élèves entrant en 6e, première année du collège, à l'âge de 11-12 ans, ne savent pas lire couramment)

S'INFORMER

1. Que sait-on des conditions dans lesquelles a été réalisée l'enquête ?

APPRÉCIER

2. La forme des questions permet-elle de fournir un avis nuancé ?

**ANALYSER
COMPARER**

3. Que signifie l'expression « un jeune à potentiel » ?

4. Comparez les résultats de cette enquête au document précédent : confirment-ils les critiques de Michel Godet ?

5. Quelle forme pratique peut prendre la collaboration entre l'école et l'entreprise ?

INFORMER

6. Posez trois autres questions aux patrons interrogés.

LE MALAISE DES LYCÉES

Plus de 100 000 élèves sortent chaque année du système éducatif. Que deviennent-ils ?
Quels problèmes rencontrent-ils ?

**S'INFORMER
REGARDER**

Observez la construction de ce document pour illustrer le thème choisi :
1. Dans quels lieux sont filmés les lycéens (au début, puis au milieu de la séquence) ? Voyez-vous une évolution entre les deux ? Qu'en déduisez-vous sur la façon dont est présenté le monde lycéen ?
2. Qui est interviewé (au milieu et à la fin de la séquence) ?
3. D'après vous, quelles sont les personnes réunies lors de la discussion de groupe ?

**S'INFORMER
ÉCOUTER**

4. Quelle est l'origine du problème soulevé ?
5. Quel est l'objectif du gouvernement, et quelles sont les deux hypothèses formulées par A. Prost pour atteindre cet objectif ?
6. Qu'appelle-t-on « l'orientation » et à quoi est-elle assimilée ?
7. Comment est caractérisée l'évolution des rapports entre l'école et la société ?
8. Qui se trouve réuni pour la table ronde à la fin du reportage

et à quelles questions celle-ci veut-elle répondre ?

**ANALYSER
COMPARER**

9. D'après vous, orientation et sélection sont-elles synonymes ?
10. Vous voulez réaliser un reportage sur les préoccupations des lycéens dans votre pays : quel thème choisissez-vous ?
Comment l'illustrez-vous ? Qui interrogez-vous ? Présentez le scénario d'un film de trois à cinq minutes destiné à la télévision française.

REPÈRES

un LEP : un lycée d'enseignement professionnel
l'orientation : *(ici)* la décision, prise par une équipe pédagogique, de diriger des élèves vers une filière de formation, en fonction de leurs résultats scolaires
une filière technique : les classes spécialisées conduisant à des baccalauréats de techniciens
une classe G : classe préparant au bac G, bac technique pour les métiers du secrétariat

L'ÉCOLE RÉPOND-ELLE AUX BESOINS DE L'ENTREPRISE ?

À l'occasion d'un projet de réforme des lycées lancé par le ministère de l'Éducation nationale, l'émission « Le téléphone sonne » consacre l'un de ses numéros à la question de l'orientation scolaire des collégiens et des lycéens.

Sont invités : André Legrand, directeur des Lycées et collèges au ministère ; J.-J. Frescot, rédacteur en chef du *Guide des études* ; Christian Baudelot, professeur à l'université de Nantes et à l'École Normale supérieure, coauteur. avec Roger Establet, de *Allez les filles !* (Seuil).

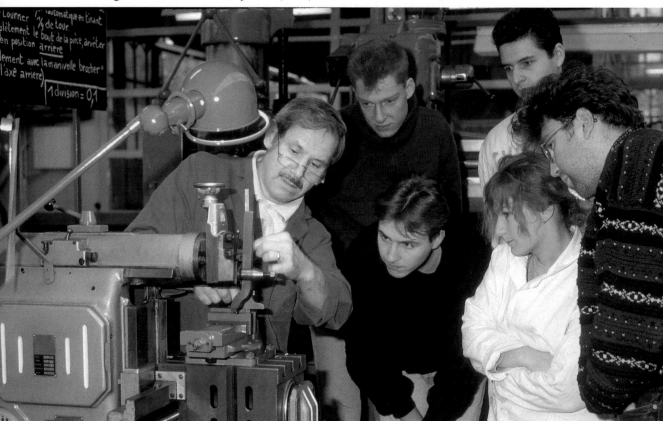

ÉCOUTER

1. Notez les différences dans le langage parlé du journaliste et dans celui des intervenants.

S'INFORMER

2. Comment l'auditeur engage-t-il la discussion ? Comment C. Baudelot lui répond-il ? Sa façon de répondre vous donne-t-elle des indications sur son sentiment face à la question posée ?

3. Quel est le problème directement soulevé ici ?

4. Quels aspects de l'école C. Baudelot défend-il, notamment par rapport à l'entreprise ?

5. Quelle réponse donne A. Legrand pour rappeler les objectifs de l'école ?

6. Pourquoi, selon J.-J. Frescot, le débat sur l'inadéquation entre la formation donnée par l'école et les attentes de l'entreprise est-il un « faux débat » ?

APPRÉCIER

7. Dans la perspective de l'insertion des jeunes dans l'entreprise, qui aurait-on pu également inviter à ce débat ?

COMPARER

8. Comparez les points de vue présentés dans cette émission avec les trois autres documents du thème « Ceux qui ne travaillent pas encore » et analysez les points de convergence et les différences.

• • • • • • •
SYNTHÈSE

Présentez un compte rendu écrit des documents illustrant le thème : « Ceux qui ne travaillent pas encore. »
• • • • • • •

Les conditions de travail dans l'entreprise moderne se modifient profondément sous l'effet d'une double pression : les exigences croissantes du « consommateur-caméléon » qui obligent les entreprises à une plus grande flexibilité dans l'organisation du travail ; les progrès technologiques qui permettent désormais de relier un salarié à son entreprise par le biais de systèmes de communication de plus en plus sophistiqués.

LA RÉVOLUTION DES HORAIRES DE TRAVAIL

LES BESOINS...

Pour les salariés, 8 heures par jour. Et pour les machines, 24 heures sur 24. Pour les salariés, des congés*, des week-ends, des ponts*. Pour les clients, du service, du service, du service. Si possible 24 heures sur 24 et 7 jours sur 7. Les colis en 48 heures chrono*, les pizzas chaudes en 35 minutes, les courses par Minitel* livrées à domicile, les boutiques ouvertes toujours plus tôt et fermées toujours plus tard. Les sous-traitants de l'automobile qui ont 49 minutes entre la commande par fax et la livraison de la planche de bord sur la chaîne de montage, qui tourne en trois-huit*... On est passé du « toujours plus » au « toujours plus vite ».

Dominique Michel,
L'Entreprise, n° 70,
juillet-août 1991.

... ET LES FREINS

La plupart des Français veulent un emploi, mais un vrai, à temps plein, bien payé et non sur contrat à durée déterminée*. Tout le reste n'est que petit boulot, affecté d'une image négative de précarité et de marginalité. D'autres pays se font de l'emploi une idée moins rigide. En Allemagne, une femme avec deux enfants cesse généralement de travailler. En Amérique, l'expression « petit boulot » n'existe pas. Au Royaume-Uni, 44 % des femmes travaillent à temps partiel et 90 % d'entre elles s'en disent satisfaites ; en France, seulement 24 % des femmes ont choisi cette formule, et 90 % d'entre elles affirment souhaiter travailler davantage. Aux États-Unis, le temps partiel concerne 10 % des hommes – trois fois plus qu'en France. Cette particularité tricolore* empêche l'apparition de toute une gamme d'emplois. D'autant plus que la législation va dans ce sens : l'embauche et le licenciement restent des démarches administrativement très lourdes.

L'Expansion, 18.6.1992.

S'INFORMER

1. Présentez sous la forme d'un tableau comparatif les attentes des salariés et celles des consommateurs.

2. Quelle définition les Français donnent-ils d'un « vrai emploi » ?

ANALYSER COMPARER

3. En quoi l'image que les Français se font du travail freine-t-elle la révolution des horaires ?

4. Quelle est votre définition du « vrai emploi » ?

INFORMER

5. Pour préparer un article intitulé : « Le temps de travail au féminin », vous souhaitez interroger un groupe de femmes actives de votre pays. Préparez les questions et le plan de cet article. Testez le questionnaire dans la classe.

REPÈRES

les congés : la durée légale des congés payés en France est de 5 semaines

les ponts : lorsqu'un jour férié n'est séparé d'un week-end que par un jour, on fait souvent « le pont » entre les deux périodes chômées

48 heures chrono : le service de livraison en 48 heures proposé par une grande société de vente par correspondance, La Redoute

le Minitel : voir p. 47 (une fiche Minitel)

tourner en trois-huit : se dit d'un atelier ou d'un service qui fonctionne 24 heures sur 24 à l'aide de trois équipes se relayant toutes les 8 heures

un contrat à durée déterminée : contrat de travail dont la durée limitée est prévue à l'embauche.

tricolore : *(imagé)* national, par allusion au drapeau tricolore français

L'ARRIVÉE DU TÉLÉTRAVAIL*

Depuis un an ou deux, grâce aux nouvelles technologies, le télétravail s'impose comme une réalité, tangible quoique encore embryonnaire. [...]

Mais quel changement par rapport à la fin de la décennie précédente ! Les utopies foisonnaient alors, qui faisaient la part belle au travail à domicile. Selon le mythe du retour au pays, entre chèvres et Larzac*, les futurologues imaginaient que l'informatique réconcilierait l'individu avec son environnement et le libérerait des contraintes géographiques. Sauf pour des cas exceptionnels, cela ne s'est jamais réalisé.

Cette fois, c'est différent, puisque « l'entrée » se fait plus pragmatique et que le besoin s'appuie sur des raisonnements économiques. [...]

Deux axes apparaissent, dont les seuls freins sont culturels, psychologiques ou mettent en évidence des modes de fonctionnement vieillots. C'est, d'abord, l'optimisation* de la gestion et de l'organisation quand les entreprises constatent que la concentration leur coûte cher, que la réduction des frais généraux passe par l'abandon de mètres carrés, et que la délocalisation* peut être une solution. La DATAR*, qui accompagne le mouvement avec France Télécom*, et veut y voir un moyen de rééquilibrer l'aménagement du territoire, ne manque pas de faire observer qu'un emploi déplacé dans une ville moyenne fait économiser 48 000 francs, et jusqu'à 110 000 francs par an, entre le coût social, l'absentéisme, les charges et les transports.

La deuxième incitation naît du mouvement en faveur de la flexibilité, elle-même amplifiée par la tendance à l'externalisation*. Certaines prestations ou fonctions peuvent être détachées de l'entreprise qui fera appel à des sociétés de téléservices*, de secrétariat, de traduction et qui, à terme, acceptera de travailler en réseau*. Déjà 2 000 sont apparues sur tout le territoire, et jusque dans les lieux les plus inattendus, comme la Meuse*, la distance n'étant plus un obstacle. [...]

Grâce à une offre technique, dont on sait maintenant qu'elle est sans limite, il est possible d'imaginer des solutions qui revitaliseraient la périphérie des grandes villes ainsi que les zones les plus reculées. Mais tout cela comporte des revers, qui peuvent aussi se transformer en autant de cauchemars. La législation du travail ne s'est pas encore approprié cette évolution et bien des abus peuvent être commis au nom de la technologie. Entre la vie professionnelle et la vie privée, la frontière s'estompe et, à domicile, l'intrusion du fax, du téléphone ou de l'ordinateur risque parfois de tourner à l'agression insupportable. Certains cadres en savent quelque chose. Il y a toutefois plus inquiétant. Rien ne s'oppose à ce que la délocalisation aille jusqu'aux Caraïbes, aux Philippines, en Inde ou au Viêt-nam où un personnel qualifié mais peu payé peut effectuer des travaux que l'on croyait réservés aux plus performants des Occidentaux, la saisie des données* aussi bien que la mise au point de logiciels*. [...]

L'emploi, bien sûr, s'en trouverait menacé. Raison de plus pour accélérer le processus en France, dit-on à France Télécom, où l'on veut croire que « le premier pays qui se sera mué en réseau sera aussi le premier à bénéficier de l'effet-retour ». Après tout, de Paris, on peut surveiller une station d'assainissement à Bogota. Et puis, grâce au Minitel*, une certaine culture du téléservice existe, que les autres pays n'ont pas toujours. Tandis que Numéris* peut être installé partout dans l'Hexagone*, et permet donc n'importe quelle implantation, il n'en va pas de même aux États-Unis, par exemple, où le réseau s'arrête à la sortie des grandes villes. Mais le libre accès français aux télécoms* sera-t-il suffisant pour maîtriser et endiguer la révolution qui se prépare ?

Alain Lebaube, *Le Monde*, 24.2.1993.

S'INFORMER

1. Quelle est la différence entre l'arrivée du télétravail prévue par les futurologues et la réalité actuelle ?

2. Identifiez les deux raisons qui favorisent le développement du télétravail.

3. Repérez les dangers que présente le télétravail.

ANALYSER
COMPARER

4. Rapprochez ce document de l'article « Halte au harcèlement faxuel ! », p. 12 et de la lettre de Jean Boissonnat : « La fin des ouvriers », p. 60 : quelles informations nouvelles apporte cet article ?

5. Pensez-vous qu'être « le premier pays mué en réseau » soit un avantage dans la guerre du « télétravail » ?

6. Ce type de travail se développe-t-il dans votre pays ? Sous quelle forme ?

INFORMER

7. Résumez cet article en dix lignes.

Visio-conférence (voir p. 32).

REPÈRES

le télétravail : le travail à distance à l'aide de matériels électroniques reliés entre eux par des réseaux de communication

le Larzac : plateau du sud de la France sur lequel, dans les années 70, s'installèrent, pour y élever des chèvres, des jeunes qui souhaitaient fuir la société de consommation en adoptant un mode de vie proche de la nature

l'optimisation : la recherche de la solution la meilleure en fonction des contraintes

la délocalisation : le transfert d'ateliers ou de services à l'étranger ou dans une autre région ; la délocalisation permet à une entreprise de bénéficier de conditions locales avantageuses (salaires et charges moins élevés, avantages fiscaux, etc.)

la DATAR (la Délégation générale à l'aménagement du territoire) : organisme public qui veille à l'aménagement harmonieux des régions

France Télécom : organisme public responsable des télécommunications françaises

l'externalisation : politique d'entreprise consistant à confier à des sous-traitants extérieurs des services autrefois assurés par l'entreprise elle-même

un téléservice : un service assuré à distance par l'intermédiaire d'un réseau de communication

travailler en réseau : travailler en utilisant des terminaux informatiques reliés entre eux par des réseaux de communication (téléphone, câble ou satellites de communication)

la Meuse : département de l'est de la France

la saisie des données : la lecture et l'enregistrement des informations

un logiciel : un programme informatique

le Minitel : voir p. 47

Numéris : système de transmission d'informations numérisées

l'Hexagone : la France, par référence à sa forme hexagonale

les télécoms : les télécommunications

Tout le monde le sait... mais personne n'ose en parler : selon les estimations les plus optimistes, 20 % du temps de travail (au moins !) est utilisé en activités parallèles non directement liées à l'activité professionnelle...

LE BON CÔTÉ DES CHOSES...

Pierre Damourette, le patron d'une grosse PME* d'Île-de-France* qui fabrique gouttières et faîtes de toitures, vient de vivre une drôle de matinée. Après la varicelle que sa fille a déclarée dans la nuit, son épouse a embouti la R5* en conduisant son fils à l'école. Cela tombe vraiment mal, car à 10 heures, il reçoit une délégation allemande de Potsdam, pour la réfection d'une partie de la toiture du château « Sans Souci ». En arrivant à son bureau à 8 h 30, il découvre un spectacle qu'il n'avait encore jamais remarqué. Pourtant, Isabelle, la standardiste, est déjà au téléphone (tiens, tiens, Pierre Damourette surprend un « tu », signifiant qu'il s'agit d'une conversation personnelle), café et croissants à portée de la main. Bougon, il file au bureau d'études* prendre les plans et devis* pour sa réunion avec les Allemands. Là, nouvelle surprise : tout le monde discute du match de rugby France-Angleterre. La cafetière circule, *L'Équipe** étalée. Personne n'a l'air d'avoir conscience que la réunion de tout à l'heure peut assurer quatre mois de chiffre d'affaires ! Heureusement, tout est prêt. Il monte en trombe ▪ à son bureau et lance à peine aimable à Monique, sa secrétaire : « Apportez-moi un café et appelez mon assureur pour l'accrochage ▪ de ma femme. »

Pierre Damourette vient en fait de constater (et de vivre lui-même) une « tranche de vie au bureau et à l'atelier ». Le cadre du travail ne se limite pas au travail. Deux sociologues, Michel Bozon et Yannick Lemel, ont voulu en savoir plus. À partir d'une enquête de l'INSEE* qui dormait dans un tiroir, ils ont écrit un petit document de 28 pages qui vaut son pesant de cacahuètes ▪. On en apprend de belles ▪ dans *Les petits profits du travail salarié, moments, produits et plaisirs dérobés*. On y découvre notamment que, pendant le travail, les salariés, du haut en bas de l'échelle*, entreprennent de nombreuses activités, courtes ou prolongées, qui n'ont rien de professionnel.

« Rien ne prouve donc que la frontière du travail soit si nette et si tranchée, ce n'est pas parce qu'on est physiquement présent au lieu de son travail que l'on est absorbé par son activité professionnelle », soulignent-ils. Et ils en découvrent des vertes et des pas mûres ▪ en examinant les statistiques.

Mais téléphoner au conjoint, à des amis, remplir une feuille de Sécurité sociale*, prendre le café, lire une revue ou un journal, faire des mots croisés ou préparer son tiercé*, ne sont pas les seuls moments où temps de travail se confond avec activités annexes. Les fameux « pots » ▪ tiennent aussi leur place dans la vie au boulot ▪. Qu'il s'agisse de fêter une promotion, un anniversaire, un départ à la retraite, un gros contrat, la sortie d'un prototype, ou même sans raison particulière, ils font aussi partie de la vie des entreprises. [...] Tout cela est-il bon ou mauvais pour le travail, pour l'ambiance à l'usine ou au bureau, pour la productivité ? C'est la question que se posent souvent les patrons qui, eux-mêmes, n'échappent pas à cette vie parallèle à celle du travail.

Gérard Negreanu, *L'Entreprise,* n° 67, avril 1991.

VOCABULAIRE

monter en trombe : monter à toute vitesse

un accrochage : un incident

valoir son pesant de cacahuètes : *(fam.)* référence *(par dérision, en plaisantant)* à l'expression « valoir son pesant d'or », son poids en or, avoir une grande valeur

en apprendre de belles : apprendre des informations stupéfiantes et scandaleuses

des vertes et des pas mûres : *(fam.)* des choses étonnantes et criticables

un pot : *(fam.)* une réunion informelle sur le lieu de travail, au cours de laquelle on boit et mange pour fêter un événement

la vie au boulot : *(fam.)* la vie au travail

REPÈRES

une PME : une petite ou moyenne entreprise

l'Île-de-France : région de France dont la capitale est Paris (voir dossier 6, p. 154)

la R5 : petite voiture fabriquée par Renault

le bureau d'études : service qui élabore les plans techniques

un devis : l'évaluation du prix d'un produit ou d'un service

L'Équipe : journal sportif

l'INSEE : l'Institut national de la statistique et des études économiques

l'échelle : *(ici)* l'échelle hiérarchique

une feuille de Sécurité sociale : imprimé qui doit être rempli pour obtenir le remboursement de frais médicaux par la Sécurité sociale, l'organisme public qui gère l'assurance maladie

le tiercé : jeu où l'on parie de l'argent sur les résultats de courses de chevaux

S'INFORMER

1. Dégagez le plan de cet article.

2. Identifiez, pour chaque personne citée dans l'article, l'activité parallèle à laquelle elle se livre.

3. Classez les activités parallèles énumérées dans l'enquête à l'aide du tableau suivant :

Activité	Temps dérobé	Produit dérobé
Téléphoner au conjoint	x	x

APPRÉCIER

4. Que pensez-vous du reportage fictif qui introduit l'article ? Ce procédé journalistique se justifie-t-il ici ?

ANALYSER

COMPARER

5. Selon vous, quelles activités parallèles ont une influence positive sur l'ambiance du travail ?

6. Si une enquête de ce type avait lieu dans votre pays, quelles seraient les activités parallèles les plus pratiquées ?

IMAGINER

7. Imaginez que Pierre Damourette dirige une entreprise exceptionnelle où les activités parallèles sont totalement absentes : décrivez la matinée du patron et de ses collaborateurs dans une telle entreprise.

EXPLIQUER

8. Pierre Damourette convoque sa standardiste, Isabelle, pour lui faire part de son mécontentement : jouez la scène.

CONVAINCRE

9. Débat : « Tout cela est-il bon ou mauvais pour le travail... ? » : choisissez les participants au débat et jouez la discussion.

Passionnément attaché à sa terre et à son travail, l'agriculteur français vit douloureusement toutes les mesures qui ont pour but de limiter une production agricole pléthorique par rapport aux besoins des marchés solvables. Comment, à l'heure de l'Europe agricole, réduire encore la part de l'agriculture classique – centrée sur les seuls débouchés alimentaires – tout en évitant la désertification de l'espace rural ? Faute d'avoir abordé ces questions vitales en temps utile, il est aujourd'hui très difficile de traiter objectivement ces problèmes.

CAMPAGNE FRANÇAISE : LES DEUX ÉPOUVANTAILS

LA DÉSERTIFICATION

Désormais, 350 000 gros exploitants assurent 75 % du chiffre d'affaires agricole français, quand 500 000 petits paysans se contentent de 10 %.

Au dire des experts, moins de 300 000 exploitations hypercompétitives suffiraient amplement à nourrir les Français et à doper ■ le commerce extérieur. On suivrait en cela les exemples étrangers. Un peu moins de 7 % des actifs sont encore employés dans l'agriculture en France. Ils ne sont que 3 % aux États-Unis. [...]

Il va pourtant de l'intérêt général de sauver les « derniers agriculteurs ». En un siècle, l'exode rural, puis la disparition des fermes les moins compétitives ont abouti à un résultat effarant : 45 % de l'Hexagone* se transforme en désert. La dernière exploitation qui met la clé sous la porte ■, et c'est, à terme, tout un village qui meurt et le retour des friches*. [...] « Là où il n'y a plus d'agriculture, la nature est ignorée, lançait voilà peu Jacques Delors*. Si demain l'Europe devait passer de onze millions à cinq ou six millions d'agriculteurs, nous léguerions à nos enfants un monde invivable. »

Patrick Coquidé, *Le Point*, n° 993, 28.9.1991.

LA FRICHE

Pour éviter la surproduction, Bruxelles veut réduire la production en gelant ■ une partie des terres.

[Mais] il est clair que les Français éprouvent envers la friche une haine culturelle fondée sur une double et glorieuse tradition : celle du défrichage et de l'art des jardins. Le paysage français, certes ondoyant et divers, ne peut être que celui dessiné par les laboureurs, les éleveurs et les forestiers : des haies entretenues, des arbres à l'alignement, des champs bien découpés, des sous-bois clairs. Une sorte d'immense parc, lisible, aimable et finalement rassurant. François Terrasson, assistant au Muséum d'histoire naturelle*, va plus loin en affirmant que nos compatriotes ont peur de la nature « naturelle » parce qu'elle est le miroir de leurs pulsions sauvages si difficilement maîtrisées.

Marc Ambroise-Rendu, *Dynasteurs*, juillet/août 1991.

VOCABULAIRE

doper : stimuler
mettre la clef sous la porte : fermer
geler les terres : ne pas les cultiver pendant une période donnée

REPÈRES

l'Hexagone : voir p. 69
la friche : une terre non cultivée
Jacques Delors : homme politique français, président de la Commission européenne
le Muséum national d'histoire naturelle : établissement scientifique de Paris qui comprend le Jardin des Plantes, des laboratoires de sciences naturelles, une bibliothèque, la ménagerie et le parc zoologique de Vincennes ainsi que le musée de l'Homme
un charolais : race de bœufs dont la viande est très réputée

LE « MUR DE L'ESTOMAC »

Impossible cependant de gaver les Français au-delà de leur consommation, qui va moins vite que les progrès de la production. Ainsi, grâce à la génétique, un charolais* donne 20 kilos de viande de plus qu'il y a dix ans, une vache, 6 000 litres de lait par an au lieu de 3 000, et un hectare, 100 kilos de blé supplémentaires.

Le Point, n° 993, 28.9.1991.

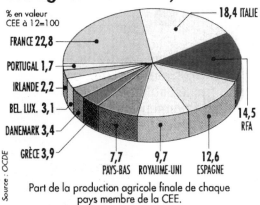

Les agriculteurs français en tête

% en valeur
CEE à 12=100

FRANCE 22,8
PORTUGAL 1,7
IRLANDE 2,2
BEL. LUX. 3,1
DANEMARK 3,4
GRÈCE 3,9

18,4 ITALIE
14,5 RFA
12,6 ESPAGNE
9,7 ROYAUME-UNI
7,7 PAYS-BAS

Source : OCDE

Part de la production agricole finale de chaque pays membre de la CEE.

S'INFORMER

1. Quelles sont les raisons qui expliquent la réduction du nombre d'exploitations agricoles françaises ?

2. Quelles seront les conséquences de cette tendance ?

3. Pour quelles raisons faut-il sauver les derniers agriculteurs ?

4. Pourquoi les agriculteurs sont-ils hostiles à la mise en jachère d'une partie des terres ? Est-ce une réaction spécifique des agriculteurs ?

ANALYSER COMPARER

5. Les problèmes décrits dans ce thème se posent-ils également aux agriculteurs de votre pays ?

INFORMER

6. Présentez à Marc Ambroise-Rendu une description du paysage de votre pays inspirée de celle qu'il propose pour la France.

7. Préparez en groupe le reportage d'une journée d'un agriculteur de votre pays : choisissez la région, le type d'exploitation, les personnes à filmer, les séquences à présenter. Élaborez un projet de scénario. Présentez votre projet à l'ensemble de la classe.

UNE JOURNÉE D'UN AGRICULTEUR

François Arrouart dirige une exploitation agricole de polyculture en Champagne-Ardenne. Il parle de son métier, de ses difficultés.

S'INFORMER REGARDER

Observez la construction de ce document pour illustrer le thème choisi :

1. En vous appuyant sur les différentes images montrées dans le document, dites qui est la personne présentée ici : son niveau de vie, son métier, le type de son exploitation.

2. Quelles sont les caractéristiques du paysage de la région de Champagne-Ardenne : relief, cultures, habitat ?

S'INFORMER ÉCOUTER

3. Faites le portrait de F. Arrouart à partir des informations supplémentaires fournies par le reportage : Où habite-t-il ? Quelle est sa situation familiale ? Que fait-il ? Avec qui travaille-t-il ?

4. Qu'apprenez-vous sur l'exploitation de ce cultivateur : taille, activités, moyens mis en œuvre ?

5. Son exploitation a connu – et va connaître – d'importants changements. Quelles en sont les causes, les conséquences, et quelles réactions entraînent-elles chez F. Arrouart ?

ANALYSER COMPARER

6. Comparez l'attitude de F. Arrouart vis-à-vis de son travail et ce qu'expriment les lycéens interviewés dans le sujet précédent « Le malaise des lycées ». Voyez-vous des points communs, des différences ?

7. Comparez le portrait de ce cultivateur moyen avec ce que vous savez des cultivateurs de votre pays.

REPÈRES

un produit phytosanitaire : produit destiné à soigner les plantes

la jachère : l'état d'une terre labourable mise au repos

un biocarburant : un carburant fabriqué à partir de produits agricoles (la betterave par exemple)

une subvention : une somme payée par l'État ou un organisme public pour compenser une perte ou en contrepartie d'une obligation

la friche : voir ci-dessus p. 72

Pendant longtemps, le chômage a été considéré comme un accident de parcours dû à une crise passagère. Désormais, il semble que l'économie des pays industrialisés soit entrée dans une ère de chômage durable, que les périodes de récession ne suffisent plus à expliquer : la machine a chassé les hommes de beaucoup d'emplois, les progrès technologiques transforment brutalement les métiers, l'augmentation de la durée de vie accentue les difficultés des salariés âgés, le consommateur saturé ne peut plus absorber des produits nouveaux dont il n'a pas besoin. Une question se pose alors : n'a-t-on pas trop de bras pour les emplois productifs de l'économie ? Faute d'une croissance suffisante, va-t-il falloir envisager de réduire le temps de travail et de partager les emplois ?

LE DRAME DU CHÔMAGE

L e tissu social du pays est en train de se déchirer, famille par famille, immeuble par immeuble, quartier par quartier. Un jeune sur cinq en âge de travailler ne trouve plus de place. Chez les hommes de 25 à 50 ans, traditionnellement le noyau dur ▪ de la population active, les compressions d'effectifs font des ravages. Le coût du chômage ne cesse de croître : il s'élève cette année à 235 milliards de francs (État et UNEDIC*), soit, à titre comparatif, près d'un cinquième du budget national.

L'INSEE* évalue, dans une récente étude, l'impact du chômage sur la réduction de la consommation : le seuil fatal de la récession automatique paraît atteint. Un drame économique et social se joue sous nos yeux. Il conduit la France, à travers de redoutables convulsions, dans le peloton de queue ▪ des pays industrialisés.

Éditorial de Yann de l'Écotais,
L'Express, 3.12.1992.

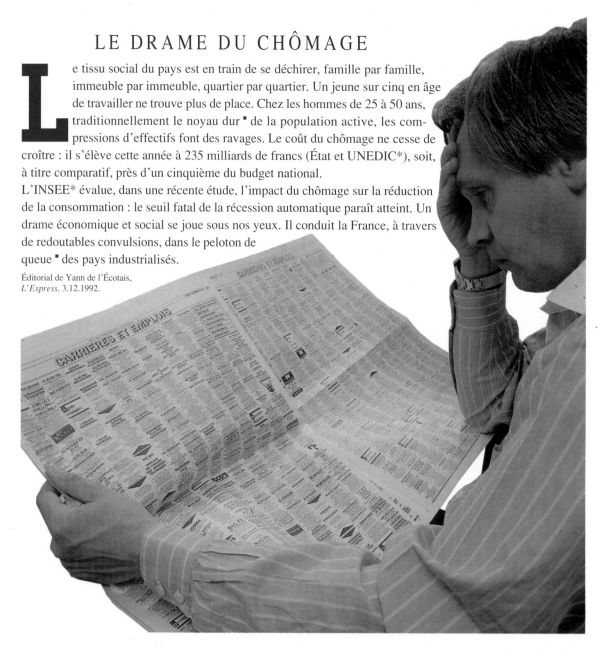

CE QUE LES FRANÇAIS SONT PRÊTS À SACRIFIER

Selon un sondage SOFRES*/journaux de province, la crainte de perdre son emploi touche maintenant 58 % des salariés du secteur privé. Du jamais vu ! Pour lutter contre le chômage, les Français paraissent même prêts maintenant à accepter ce qu'ils avaient toujours refusé jusque-là : le partage des revenus ! D'accord : ce n'est qu'une déclaration d'intention, mais c'est déjà un changement. 65 % des personnes interrogées seraient prêtes à accepter une réduction de leur salaire pour éviter des licenciements dans leur propre entreprise. Mais il y a encore plus de 1 Français sur 2 (54 %) qui accepterait une mesure nationale : une réduction de la durée du travail à 35 heures par semaine avec diminution proportionnelle du salaire... si cela permet de créer des emplois.

Le Nouvel Observateur, 21.1.1993.

VOCABULAIRE

le noyau dur : les éléments les plus solides

le peloton de queue : le groupe des derniers (référence aux courses cyclistes, automobiles, hippiques)

sans trop de casse : *(fam.)* sans trop de dégâts

REPÈRES

l'UNEDIC : organisme paritaire (État, patronat, syndicats) chargé de gérer les fonds d'indemnisation du chômage

l'INSEE : voir p. 71

la SOFRES (Société française d'études et de sondages) : société privée de sondages d'opinion

Pompidou (Georges) : homme politique français, Premier ministre du général de Gaulle, puis président de la République (1969-1974)

la COFREMCA : institut d'études sociologiques

COMMENT LES FRANÇAIS S'ADAPTENT AU CHÔMAGE

« **L**es Français, tout en redoutant davantage le chômage, le vivent de mieux en mieux. Pourquoi croyez-vous que la France a pu absorber 3 millions de chômeurs sans trop de casse ", alors que, souvenez-vous, Pompidou* pensait qu'au-delà de 500 000 on allait à l'émeute ? Parce que, là encore, les Français se sont adaptés très vite. Ils ont réorganisé, « reprogrammé » leur vie, en fonction de cette éventualité. Ils mettent en place des réseaux de solidarité, dépensent mieux, repèrent tous les avantages que l'on peut tirer de la société moderne. »

Gérard Demuth[1], *Le Nouvel Observateur*, 21.1.1993.

1. Sociologue et président de COFREMCA-France*.

S'INFORMER

1. Relevez, dans ces trois documents, les informations chiffrées concernant le chômage en France.

2. Quelles sont les retombées économiques et humaines de la montée du chômage ?

3. Comment les Français s'adaptent-ils à cette situation ?

Que sont-ils prêts désormais à accepter ?

ANALYSER

COMPARER

4. Comparez la situation du chômage en France et dans votre pays : ampleur, conséquences sociales et économiques, réactions de la population.

À 50 ANS, UN CADRE EST-IL BON À JETER ?

L'OPINION DE XAVIER GAULLIER [1]

LE QUOTIDIEN. – Aujourd'hui, le monde de l'entreprise est caractérisé par des évolutions très rapides et une forte compétition. Est-ce que les cadres de 50 ans, dépassés et usés, ont encore leur place dans l'entreprise ? Est-ce qu'ils ne sont pas tout simplement bons à jeter ?

XAVIER GAULLIER. – De fait, depuis vingt ans, on les jette. Pas seulement les cadres d'ailleurs, mais tous les plus de 50 ans. Face à la crise de l'emploi, la France a favorisé l'exclusion des salariés âgés – et des jeunes – et tout misé sur le maintien dans l'emploi entre 30 et 50 ans. Dans tous les pays de l'OCDE*, la tendance est au rajeunissement des départs, mais la France est le pays qui a exclu le plus massivement les salariés âgés et à un âge de plus en plus précoce. Le taux d'activité des hommes entre 55 ans et 64 ans est de 50 % en France contre 60 % aux États-Unis, 71 % en Suède et 82 % au Japon. [...]

Le problème de fond, c'est que nous sommes dans une société de fin de plein emploi qui n'a plus besoin de toute sa population en âge d'être active pour la production. [...]

Je crois que nous allons vers un cycle de vie beaucoup plus flexible, avec d'un côté les emplois traditionnels, mais aussi toutes sortes d'activités utiles socialement, qui pourraient être rémunérées de façons diverses. Et à la place d'une période bien délimitée de travail à plein temps suivie d'un plein temps de temps libre, on pourrait articuler pour chacun, de façon négociée, des carrières beaucoup plus flexibles et diversifiées, avec des périodes d'années sabbatiques, et des périodes de formation. [...]

Notre société vit une contradiction fantastique : l'exclusion de plus en plus précoce des gens alors qu'ils sont en meilleure forme de plus en plus longtemps. Il y a 20 ans, les individus avaient en moyenne 45 ans de vie professionnelle et 15 ans de retraite.

REPÈRES

l'OCDE (Organisation de coopération et de développement économique) : organisation internationale basée à Paris et dont le but est de coordonner les politiques économiques des pays membres et d'aider les pays en voie d'industrialisation

Actuellement, on est à 40 ans et 20 ans. Si on continue dans cette direction, dans quelques années, on arrivera à 30 ans et 30 ans. Nous vivrons dans une société composée à 60 % d'inactifs. Au-delà des problèmes de financement, la véritable question est de savoir ce que vont être tous ceux qui ne seront pas actifs au sens classique du terme.

Pendant quarante ans, toutes nos vies ont été centrées sur la valeur travail. Derrière le problème de la crise de l'emploi, il y a la crise de la valeur travail. La vraie question, c'est de savoir comment chacun est capable de vivre une diversité de valeurs et d'identités liées au travail, au loisir, à la famille, etc. C'est le véritable enjeu.

Propos recueillis par Frédéric Lenoir, *Le Quotidien de Paris,* 25.8.1992.

1. Sociologue, chercheur au CNRS (Centre national de la recherche scientifique), auteur de *La deuxième carrière,* Seuil, 1988, et d'un rapport au ministre du Travail, en 1990, *Modernisation et gestion des âges. Les salariés âgés et l'emploi.*

HEUREUX QUI COMMUNIQUE

Cette émission de la série « La rue des Entrepreneurs », est programmée au moment où s'ouvre le festival de l'Audiovisuel et de la communication qui se tient, chaque année à Biarritz. Elle évoque les difficultés de la communication d'entreprise en période de crise et de licenciements. Dans cet extrait, Richard Bérard, président d'une société de conseil d'entreprises, la COGEROP, répond aux questions des journalistes Didier Hades et Dominique Lambert.

S'INFORMER

1. Repérez dans le texte toutes les raisons pour lesquelles les cadres âgés sont aujourd'hui exclus de l'entreprise ?

2. À quelle « contradiction fantastique » la société est-elle confrontée ?

3. Comment va évoluer le cycle de vie active des individus ?

APPRÉCIER

4. Distinguez, dans cette interview, les données chiffrées et l'interprétation qu'en donne Xavier Gaullier.

ANALYSER COMPARER

5. « La crise de la valeur travail » : quel sens Xavier Gaullier donne-t-il à cette expression ?

6. L'auteur évoque des « activités utiles socialement qui pourraient être rémunérées » : pouvez-vous en citer quelques-unes ?

7. Le phénomène décrit dans ce texte se produit-il dans votre pays ? Quel y est le statut des salariés âgés ?

IMAGINER

8. « Nous vivrons dans une société composée à 60 % d'inactifs. » Imaginez toutes les conséquences d'une telle structure de la population.

9. Comment aimeriez-vous vivre votre retraite ?

CONVAINCRE

10. Débat : « Pour ou contre le licenciement des cadres âgés » Syndicalistes, représentants d'entreprises, salariés jeunes et âgés, psychologues et sociologues s'affrontent sur ce sujet. Jouez le débat.

VOCABULAIRE

un chambardement : un bouleversement
pérenniser : rendre durable
au bout du compte : en définitive

REPÈRES

« heureux qui communique » : pastiche du premier vers d'une célèbre poésie de Joachim du Bellay ; « Heureux qui comme Ulysse a fait un long voyage... »
Biarritz : Port sur l'Atlantique et lieu de villégiature en Pays basque
« circulez, y'a rien à dire » : pastiche d'une expression employée par les gardiens de la paix : « circulez, y'a rien à voir ! » pour disperser les passants attroupés lors d'un événement sur la voie publique

ÉCOUTER

1. Remarquez et caractérisez l'intonation et le niveau de langue utilisés par chacun des intervenants en comparaison avec l'émission « Le téléphone sonne » qui donne la parole aux auditeurs. Quelle(s) différence(s) percevez-vous ?

S'INFORMER

2. Quels sont les principaux thèmes abordés dans cet extrait ?

3. À quoi est assujettie la communication dans l'entreprise d'après la personne interviewée ?

4. Quelles répercussions cela a-t-il sur la vie même de l'entreprise ?

5. Quel mode de fonctionnement de l'entreprise révèle ce type de pratique ?

6. Quelle a été la réaction de certains patrons pour assurer la survie de l'entreprise ?

7. D'après le journaliste D. Hadès, le résultat de cette réaction est-il suivi jusqu'au bout en toutes circonstances ?

ANALYSER COMPARER

8. « La machine ne sait pas gérer la complexité. » Commentez cette affirmation en vous appuyant sur vos propres connaissances.

9. La séparation des pouvoirs au sein de l'entreprise, entre les détenteurs du capital, les dirigeants et les salariés, est-elle pour vous normale, souhaitable, anachronique, révisable ?

10. La communication dans l'entreprise fonctionne-t-elle sur des critères semblables dans votre pays et la problématique soulevée dans la question précédente se pose-t-elle de la même façon ?

SYNTHÈSE

Présentez un compte rendu écrit des documents illustrant le thème : « Ceux qui ne travaillent pas du tout. »

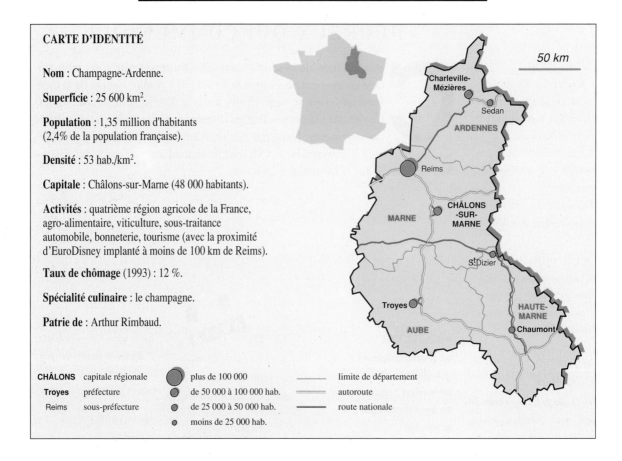

CARTE D'IDENTITÉ

Nom : Champagne-Ardenne.

Superficie : 25 600 km².

Population : 1,35 million d'habitants
(2,4% de la population française).

Densité : 53 hab./km².

Capitale : Châlons-sur-Marne (48 000 habitants).

Activités : quatrième région agricole de la France,
agro-alimentaire, viticulture, sous-traitance
automobile, bonneterie, tourisme (avec la proximité
d'EuroDisney implanté à moins de 100 km de Reims).

Taux de chômage (1993) : 12 %.

Spécialité culinaire : le champagne.

Patrie de : Arthur Rimbaud.

50 km

CHÂLONS	capitale régionale	plus de 100 000
Troyes	préfecture	de 50 000 à 100 000 hab.
Reims	sous-préfecture	de 25 000 à 50 000 hab.
		moins de 25 000 hab.

——— limite de département
═══ autoroute
━━━ route nationale

CHAMPAGNE-ARDENNE :
UNE DIFFICILE DÉFINITION

Autant certaines régions possèdent une image nette et définie, autant
celle de Champagne-Ardenne est floue. Quelle représentation les
Français en ont-ils ? De mornes étendues froides et grises, humides
et boisées, encore tachées de souvenirs des combats*, une terre vide
et plutôt pauvre, que seuls les éclats dorés du champagne illumi-
neraient parfois. Quelles réponses feraient-ils si on leur demandait de nommer
la préfecture* de région ? Reims, peut-être, le plus souvent. Mais bien rarement
Châlons-sur-Marne ! Que faut-il en déduire de la réalité de cet espace ? Peut-on
parler d'une « région champardennaise », avec ce que cela comporte de liens et de
solidarités [...] ?
Comme le reconnaissait Bernard Stasi, président du Conseil régional*, dans une
interview accordée en janvier 1987, « la Champagne-Ardenne résulte de la réunion
de quatre départements sans véritable histoire commune et sans profond partage
de traditions ». [...]
La diversité plus que l'unité l'emporte lorsque l'on découvre les paysages de cette
région. Caractérisé par une succession de bandes nord-sud, l'espace champarden-
nais juxtapose forêts et zones de grande agriculture, riches vignobles et campagnes
en proie à un dépeuplement rapide. Un tel assemblage explique les difficultés que
les villes ont eues à étendre leur rayonnement sur des pays aussi différents, et dont
les intérêts étaient souvent opposés. Cela permet de prendre également la mesure
des rivalités qui ont existé (et existent encore !) entre les principaux centres urbains.

REPÈRES

**les souvenirs des
combats :** allusion aux
multiples batailles qui se sont
déroulées là, notamment durant
la guerre de 1914-1918
la préfecture : ville d'un
département où siège le préfet,
représentant de l'État
le conseil régional :
voir p. 23 (la région)

L'opposition entre Reims, capitale économique, Troyes, capitale historique, et Châlons-sur-Marne, capitale administrative, est multiséculaire et se manifeste dans bien des domaines, y compris politique. [...]

Le grand nombre de quotidiens régionaux (bien que, de plus en plus, des titres différents appartiennent en réalité à un seul et même groupe de presse) est un indice supplémentaire de la faible polarisation que connaît la Champagne-Ardenne. Le fait que *L'Est républicain,* journal nancéien, a une présence grandissante dans cette région souligne également la réalité des forces centrifuges qui y règnent. L'ouest de la région subit l'attraction parisienne ; la Haute-Marne se tourne volontiers vers la Lorraine ou la Bourgogne ; quant aux Ardennes qui regardent vers le bassin industriel nord-européen, elles conservent une telle individualité nourrie par leur isolement qu'on a jugé utile d'accoler leur nom à celui de « Champagne » pour nommer la région.

Champagne-Ardenne, Étude du Conseil régional.

Économie

QUAND LA CHAMPAGNE S'EMBALLE

236 entreprises spécialisées dans l'emballage : ce n'est pas pour rien que la Champagne-Ardenne s'est appelée la Packaging Valley*. Le support et le moteur de son développement ? La présence, dans un périmètre de 250 kilomètres autour de Troyes, de 48 % des industries agro-alimentaires, qui consomment 60 % de l'emballage. De ce fait, les sociétés de la Packaging Valley, surtout spécialisées dans l'alimentaire, réussissent aussi à s'imposer dans le domaine des cosmétiques, même si M. Dupuis, directeur régional de BSN* emballage, rappelle que les « maisons de champagne sont à l'origine du développement de l'industrie de l'emballage en Champagne-Ardenne ». La Packaging Valley, nouveau bébé de la région, vient d'avoir deux ans... et poursuit sa croissance à grande vitesse. Elle ne cesse d'attirer de nouveaux investisseurs et s'impose toujours plus fortement sur le marché européen. Forte de cette place de jeune premier, la région a souhaité créer une véritable dynamique autour de ce souffle novateur. [...] La Packaging Valley a

insufflé un nouveau dynamisme à la région et a su créer les conditions de son succès en se dotant d'une filière de formation performante. L'École supérieure d'ingénieurs en emballage et conditionnement (Esiec) et l'European Packaging Institute privilégient la recherche tandis que l'ESC*-Troyes propose une filière de spécialisation en troisième année « Emballage-conditionnement », orientée vers les fonctions commerciales. Souvent taxée d'immobilisme, la région Champagne-Ardenne a su trouver, dans des projets économiques d'envergure engageant son avenir, un ferment d'unité.

C'est en vivant au vert que la Champagne-Ardenne voit désormais son avenir en rose !

L'Express, 11.3.1993.

S'INFORMER

1. Repérez sur une carte les régions et villes citées dans ce texte.

2. Relevez tous les exemples qui illustrent le manque d'unité de cette région.

ANALYSER COMPARER

3. Quels sont les facteurs qui contribuent à faire d'une région une entité forte ?

4. Parmi ces facteurs, quels sont ceux qui manquent à la région Champagne-Ardenne ?

REPÈRES

Packaging Valley :
(anglais) vallée de l'emballage (par référence à *Silicon Valley,* en Californie, haut lieu de l'informatique aux États-Unis)
BSN : grand groupe alimentaire français
ESC : École supérieure de commerce

S'INFORMER

1. Relevez toutes les informations qui permettraient de rédiger une fiche signalétique sur la Packaging Valley.

ANALYSER COMPARER

2. Pourquoi, à votre avis, ce surnom anglo-saxon pour Champagne-Ardenne ?

3. En quoi une « filière de formation performante » est-elle une condition de succès ?

4. Expliquez le jeu de mots du titre et celui de la conclusion.

Société

À MEAUX : UNE INITIATIVE D'INSERTION PROFESSIONNELLE

Sur les hauteurs de Meaux, rectilignes et grises, six barres et trois tours s'assoupissent : c'est l'heure de la sieste. Des pins parasols ombragent une terre aride, poussiéreuse. L'aire de jeu préférée des gamins, qui jouent au Tarzan pendus aux branches, faute de plage. « La Pierre-Collinet, c'est un quartier en cul-de-sac, au bout de la ville. Après, ce sont les lacs, le no man's land, quoi. » Charles Bouzols fait le tour du propriétaire. Il est gérant de la régie de quartier* Collinet Services, une des plus anciennes en France. Avec ses 80 salariés (en contrat d'insertion* pour la plupart), la régie procure du travail aux locataires de la Pierre-Collinet. Depuis 1985, date de sa création, près de 400 personnes sont passées par là, pour un petit boulot d'appoint, une formation ou une embauche définitive. Mais la régie, c'est surtout l'amélioration de la vie au quotidien. Elle décroche les marchés de l'entretien des pelouses, des aires de jeu, de plomberie. [...]

Au quartier général de Collinet Services, on trouve pêle-mêle dans les mêmes locaux l'accueil, les bureaux, un atelier, l'ébauche d'une quincaillerie et, pour la bonne bouche, le bistrot associatif.

Une mamma vêtue d'un boubou vert éclatant, employée à mi-temps, y sert le café d'un pas nonchalant. Des groupes d'ados sont attablés. Il est quand même plus agréable de paresser sur une terrasse que dans une cage d'escalier. Pour eux l'intérêt de la régie, c'est certes les petits boulots qu'elle procure mais surtout ce café. « Il faut avouer que c'est plus propre depuis que Collinet Services existe », précise une jeune mère assise avec d'autres autour d'une table de bois, pendant que les gosses jouent dans le bac à sable. « Les gars, ils font bien leur boulot. Le matin, ils ramassent tout ce qui traîne. » Ici tout le monde se souvient de l'avant-Collinet Services : les papiers gras que personne ne ramassait jamais et la honte des habitants lorsqu'ils recevaient des gens de l'extérieur.

Aujourd'hui, « des réflexes se créent, raconte Charles Bouzols. Après le traditionnel bal du 14 Juillet, en une demi-heure, tout était propre. Il y a trois ans, nos équipes avaient besoin de trois heures. Là, tous les habitants ont mis la main à la pâte et les ont aidées ». Leur cité est redevenue « présentable ». Et comme le dit un retraité : « Nous, les "pas-grand-chose", on a retrouvé notre dignité. »

Stéphanie Maurice, *Libération*, 20.8.1992.

REPÈRES

une régie de quartier : entreprise d'insertion professionnelle créée pour améliorer la vie quotidienne des banlieues

un contrat d'insertion : contrat de travail (avec charges sociales allégées pour l'employeur) permettant de donner un emploi à un chômeur

S'INFORMER

1. Répertoriez les fonctions de la régie de quartier Collinet Services. Comment réagissent les habitants de cette banlieue ?

ANALYSER

COMPARER

2. En quoi une initiative de ce type peut-elle « rendre sa dignité » aux habitants ?

3. Des problèmes particuliers aux banlieues se posent-ils dans votre pays ? Si oui, lesquels ? Existe-t-il des initiatives pour y remédier ?

Tourisme

HAUTVILLERS : LE LEADER FRANÇAIS DES ENSEIGNES

Sur les 115 enseignes que compte le village – une maison sur quatre *grosso modo* –, aucune ne ressemble à celle du voisin. La plupart des 867 Altavillois ont beau avoir leurs racines dans la vigne, chacun s'est efforcé à l'originalité pour illustrer le travail du vin, son thème préféré.

Parfois ce n'est qu'un geste, une vigneronne d'antan, en coiffe, long tablier et sabots, penchée pour couper une grappe avec sa serpette.

Ailleurs, dans une rue qui dévale, c'est quasiment une fresque. [...]

REPÈRES

Dom Pérignon : moine à qui l'on attribue l'invention du champagne

Moët et Chandon : célèbre marque de champagne

Les petits sujets ont proliféré au-dessus des portes des maisons depuis trente ans qu'Hautvillers a décidé de se singulariser. Les bâtiments communaux furent ornés les premiers : une plume d'oie sur un parchemin pour le secrétariat de mairie, un pompier casqué qui grimpe à l'échelle pour l'ancienne remise de la pompe à incendie, une lavandière qui frotte son linge pour l'ancien lavoir où coule toujours l'eau d'une source de la forêt. Les administrés ont suivi. La commune leur rembourse – à concurrence de 1 500 F – la moitié de leurs frais. Dans le village où Dom Pérignon* fit prospérer sa pétillante abbaye – propriété privée de Moët et Chandon* –, les promeneurs viennent désormais déambuler nombreux en levant le nez.

Francis Dujardin, *L'Union*, 5.11.1992.

Musique

À REIMS : LES FLÂNERIES MUSICALES D'ÉTÉ

Reims, ville des sacres* et du Champagne, offre à ses visiteurs le prestige de concerts interprétés par les grands noms de la fondation Yehudi Menuhin*.
Ce sont les Flâneries, une gamme de 100 concerts de qualité et dans tous les styles. Ces différents moments musicaux permettent de relier les principaux joyaux du patrimoine et sites de la ville par un fil musical. Pendant tout l'été, les virtuoses, les grands talents, les lauréats de la Fondation Menuhin se produisent dans les lieux les plus prestigieux ou les plus inattendus comme les quartiers, les cours et jardins. À Reims, ils se sentent chez eux, la ville leur appartient tout l'été, de fin juin à fin août.
L'originalité de cette initiative est de ne pas être un festival de plus, mais une formule neuve, souple, très souvent gratuite, dont l'état d'esprit associe qualité, générosité et souplesse.

Champagne-Ardenne, Comité régional du tourisme.

ENJEUX

L es trois derniers dossiers traitent de quelques enjeux auxquels sont confrontés les acteurs de l'économie française : la défense de l'environnement, les nouveaux rapports entre culture et entreprise et les problèmes d'éthique que pose le développement de la science et de la technologie.

L'environnement

**À VOIR
DANS LE CAHIER D'EXERCICES**

Informer :
définir des termes et des concepts,
désigner un lieu,
décrire une personne,
relater des faits.

Rédiger :
le compte rendu
d'un ou plusieurs documents.

Une si jolie petite plage, c'est le titre d'un film célèbre d'Yves Allégret (1968) ; c'est aussi le symbole nostalgique d'une époque où la nature domestiquée, mais pas encore gâtée, servait de refuge aux hommes. Les dossiers précédents ont montré la transformation des habitudes de consommation et des conditions de production qui en découlent. Ce dossier examine les conséquences du progrès sur ce qu'on peut désigner globalement comme notre « environnement ». Les mouvements écologistes sont nés de cette prise de conscience qui connaît, du reste, des degrés et des formes d'expression variés.

LES FRANÇAIS ET L'ENVIRONNEMENT

• 58 % des Français se sentent personnellement responsables d'une partie de la pollution de la planète, 40 % non.

• 32 % des chefs d'entreprise d'au moins 10 salariés estiment que la défense de l'environnement est pour eux un objectif prioritaire.

• 62 % que c'est très important, mais pas prioritaire.

• 5 % que ce n'est pas très important.

Gérard Mermet, *Francoscopie 1991,* Larousse.

LES TROIS ÉCOLOGIES

D'une manière générale, on peut observer que partout où les débats théoriques sur l'écologie ont pris une forme philosophique cohérente, ils se sont structurés en trois courants bien distincts, voire tout à fait opposés dans leurs principes mêmes, quant à la question directrice des rapports de l'homme et de la nature.

Le premier, sans doute le plus banal, mais aussi le moins dogmatique, parce que le moins doctrinaire, part de l'idée qu'à travers la nature, c'est encore et toujours l'homme qu'il s'agit de protéger, fût-ce de lui-même, lorsqu'il joue les apprentis sorciers ■. L'environnement n'est pas doté ici d'une valeur intrinsèque. Simplement, la conscience s'est fait jour qu'à détruire le milieu qui l'entoure, l'homme risque bel et bien ■ de mettre sa propre existence en danger et, à tout le moins, de se priver des conditions d'une vie bonne sur cette terre.

C'est dès lors à partir d'une position qu'on peut dire « humaniste », voire *anthropocentriste* ■, que la nature est prise, sur un mode seulement indirect, en considération. Elle n'est que ce qui *environne* l'être humain, la périphérie, donc, et non le centre. À ce titre, elle ne saurait être considérée comme un sujet de droit ■, comme une entité possédant une valeur absolue en elle-même.

La seconde figure franchit un pas dans l'attribution d'une signification morale à certains êtres non humains. Elle consiste à prendre au sérieux le principe « utilitariste » selon lequel il faut non seulement rechercher l'intérêt propre des hommes, mais de manière plus générale tendre à diminuer au maximum la somme des souffrances dans le monde ainsi qu'à augmenter autant que faire se peut la quantité de bien-être. Dans cette perspective, très présente dans le monde anglo-saxon où elle fonde l'immense mouvement dit de « libération animale », tous les êtres susceptibles de plaisir et de peine doivent être tenus pour des sujets de droit et traités comme tels. À cet égard, le point de vue de l'anthropocentrisme se trouve déjà battu en brèche ■, puisque les animaux sont désormais inclus, au même titre que les hommes, dans la sphère des préoccupations morales.

La troisième forme est [...] la revendication d'un droit des arbres, c'est-à-dire de la nature comme telle, y compris sous ses formes végétale et minérale. Gardons-nous de céder trop vite à l'esprit de dérision ■. Non seulement elle tend à devenir l'idéologie dominante des mouvements « alternatifs » en Allemagne et aux États-Unis, mais c'est elle aussi qui pose dans les termes les plus radicaux la question de la nécessaire remise en cause de l'humanisme.

Luc Ferry, *Le Nouvel Ordre écologique : l'arbre, l'animal et l'homme*, Grasset, 1992.

VOCABULAIRE

jouer les apprentis sorciers : déclencher des catastrophes dont on n'est pas maître

bel et bien : effectivement

anthropocentriste : centré sur l'homme

un sujet de droit : ce que l'on décide de considérer comme relevant du droit

battre en brèche : faire reculer, céder sous les attaques

céder à l'esprit de dérision : se laisser aller à mépriser, à se moquer de...

S'INFORMER

1. Repérez dans le texte les informations concernant chacun des trois courants écologiques décrits par Luc Ferry : Quelle idée-force sous-tend chaque courant ? Que cherche-t-on à protéger dans chaque mouvement ?

ANALYSER
COMPARER

2. Cherchez des exemples d'actions menées par des mouvements de « libération animale ».

3. Comment peut se traduire, dans la pratique, « le droit des arbres » ?

4. Y a-t-il des mouvements écologistes dans votre pays ? Comment se manifestent-t-ils ?

5. Si vous aviez à classer les principales nuisances qui menacent la planète, quelles seraient vos priorités ? Justifiez votre choix.

Plusieurs cas – choisis parmi ceux qui concernent tant la France que ses voisins européens – illustrent les désastres, souvent irréversibles, auxquels peut conduire le développement « sauvage » : accumulation des déchets, pollution marine, urbanisation galopante, destruction irrémédiable de sites.

La nature poubelle

LA FRANCE, POUBELLE DU MONDE

Nous importons chaque année 450 000 tonnes de déchets industriels dangereux. Une bonne affaire qui permet à la France de se doter d'une industrie de retraitement performante et rentable ? Ou une entreprise à haut risque qui menace la santé de tous pour le profit de quelques-uns ?

Le Nouvel Observateur, 17.9.1992.

CHARGE CONTRE LES DÉCHARGES

Malgré les inculpations prononcées ces derniers jours dans le cadre de l'enquête sur les envois de déchets médicaux allemands en France, les importations de ce type de rebuts se poursuivent.

Les autorités françaises semblent cependant réagir en annonçant la suppression de 6 700 décharges d'ici à l'an 2000.

Le Quotidien de Paris, 18.8.1992.

SOUS UN HIMALAYA DE DÉCHETS

COMMENT FAIRE LE MÉNAGE DANS NOS POUBELLES ?

Tout ou presque est à faire. Or la production d'ordures de toutes sortes, elle, ne faiblit jamais. Tout Français, du nouveau-né au vieillard, rejette aujourd'hui 400 kilos de déchets par an. Deux fois plus qu'il y a trente ans. Chaque année, dans l'Hexagone, 400 millions de tonnes de déchets agricoles s'ajoutent aux 150 millions de tonnes de déchets industriels banals, aux 90 millions de tonnes d'ordures ménagères, aux 18 millions de tonnes de déchets dits « spéciaux ». C'est un Himalaya de près de 10 milliards de tonnes qui sort, bon an mal an, des poubelles de l'OCDE*. Pour traiter ces flux croissants, beaucoup d'argent et, plus encore, de volonté seront nécessaires. Mais aussi de l'innovation, de la technologie. Le programme Apollo a permis aux Américains de fouler la Lune. Les Européens ont réussi Arianespace*. À quand un grand programme « poubelles » ? Apparemment, son enjeu est moins reluisant que les rêves spatiaux. Il est pourtant, lui, vital, tout simplement.

J.-P. Adine et J.-J. Jouanna, *Le Point*, n° 1040, 22.8.1992.

S'INFORMER

1. Repérez les types de déchets cités dans ces documents. Certains sont dangereux, lesquels ?

2. Quelles mesures a-t-on prises pour éliminer ces déchets ? Quelles mesures devraient être prises ?

APPRÉCIER

3. Étudiez les titres des articles de presse : quels procédés utilisent-ils pour forcer l'attention du lecteur ?

ANALYSER COMPARER

4. L'article du *Point* évoque un « flux croissant de déchets » : avez-vous constaté un tel phénomène dans votre vie quotidienne ?

INFORMER

5. Avez-vous des informations sur le problème des déchets dans votre pays ?

Si non, quelles informations aimeriez-vous obtenir ?

Si oui, présentez un court exposé sur cette question.

REPÈRES

l'OCDE : voir p. 76
(ici) les pays qui font partie de cette organisation

Arianespace : programme de recherche spatiale européen qui a permis la mise au point des fusées Ariane

P, COMME POUBELLE

« Le téléphone sonne » est consacré à un débat sur le problème des déchets industriels et des ordures ménagères. Participent notamment à l'émission la journaliste Nathalie Fonterelle et le représentant du parti des écologistes, « Les Verts », Christian Prelat.

ÉCOUTER

1. Notez comment commence l'émission « Le téléphone sonne » et les tous premiers mots du journaliste A. Bedouet. Qu'en déduisez-vous sur la façon de présenter l'émission ?

S'INFORMER

2. Treize désignations de déchets sont énumérées dans l'émission : citez-les dans l'ordre.

3. Quelles sont les deux préoccupations dont parle l'émission ?

4. Comment C. Prelat résume-t-il les résultats de « l'incinération des déchets » ?

5. Quelle est l'image utilisée pour illustrer l'importance du problème des ordures ménagères en France ?

6. « Rien ne se perd, rien ne se crée » : comment C. Prelat illustre-t-il cette formule ?

ANALYSER COMPARER

7. Comparez les informations fournies par N. Fonterelle dans ce reportage avec les données de l'article « Sous un Himalaya de déchets ».

CONVAINCRE

8. Vous faites partie du conseil municipal d'une ville de taille moyenne. Vous êtes le/la responsable de l'environnement, chargé(e) de l'élimination des déchets. Vous présentez au conseil votre plan d'action en la matière.

CATASTROPHE ÉCOLOGIQUE EN BRETAGNE

En 1978, le naufrage du pétrolier *Amoco-Cadiz* au large de la Bretagne avait provoqué la pollution de l'une des plus belles côtes de France. Quinze ans plus tard, l'heure est aux bilans.

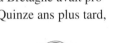

S'INFORMER REGARDER

Observez la construction de ce document pour illustrer le thème choisi :

1. Que montre l'enchaînement des images ?

2. Qui est, d'après vous, la personne interviewée ?

3. Quel contraste apparaît dans les dernières images ?

4. Qu'en déduisez-vous sur la date approximative de la catastrophe ? Retracez son historique : Comment a-t-elle été provoquée ? Dans quelles conditions ? Où ? Quel a été son impact sur l'environnement ? Quels moyens ont été mis en œuvre pour réparer les dégâts ?

S'INFORMER ÉCOUTER

5. Vérifiez vos hypothèses à l'aide des informations données dans le commentaire.

6. Comment, d'après L. Laubier, les habitants de la côte bretonne ont-ils réagi face à la catastrophe ?

7. Quelles sont les différentes étapes à suivre pour parvenir à un retour à la normale ? Quels enjeux cela soulève-t-il ?

ANALYSER COMPARER

8. Votre pays a-t-il connu une catastrophe écologique semblable et, dans l'affirmative, comment y a-t-on réagi ?

INFORMER

9. Rédigez un court article rendant compte de cette enquête.

REPÈRES

un biotope : un milieu biologique stable dans lequel se développe une population animale et végétale déterminée

un écosystème : une unité écologique formée d'un biotope et de sa population animale et végétale

payer un tribut : *(imagé)* payer une contribution forcée

La ville en crise

QUAND LA VILLE REND FOU

Les villes modernes sont trop grandes. De plus, ce ne sont pas des villes. Je sais bien qu'en dénonçant le gigantisme urbain on est facilement tenu pour un nostalgique du passé. L'époque n'est pas si éloignée où toute réserve à l'égard des grands ensembles* vous faisait passer pour un pavillonnaire* endurci. Chez les plus fervents, la machine à laver collective faisait figure d'eucharistie sociale*. Il a fallu déchanter.

Les villes modernes subissent de plein fouet, quand elles appartiennent au monde développé, les conséquences de l'immigration étrangère et intérieure ; quand elles sont situées dans le tiers-monde, celles de l'exode rural et de la croissance démographique. […] Mais le résultat est le même. Ces villes ne sont pas des cités, c'est-à-dire des ensembles ordonnés dans le domaine architectural, économique, politique et culturel. Ce sont des conglomérats ▪ humains, qui ont autant de cohésion et de complémentarité que des pommes de terre dans un sac de pommes de terre. Les gens sont là par nécessité, par rencontre, par gravité sociale ▪. La plupart n'occupent aucune fonction définie. Ce sont, au sens étymologique, des prolétaires, c'est-à-dire des per-

sonnes qui ne comptent que numériquement selon l'étendue de leur descendance. Dire de telles villes que ce sont des fourmilières est injuste pour les fourmis ; les qualifier de termitières est désobligeant pour les termites. La seule métaphore convenable est celle de l'agglomération de la limaille de fer autour de l'aimant. La trop

grande croissance et la trop grande rapidité de cette croissance ont empêché les agglomérations modernes – puisque c'est le mot – de se polariser, de se différencier, de sécréter un centre, des espaces familiers, des bizarreries et des recoins, comme dans la maison de notre enfance, et cette patine des monuments qui permet aux hommes de s'étalonner dans le temps.

Au Moyen Âge, lors de la naissance des communes, on disait de l'air de la ville qu'il rend libre. Aujourd'hui, il rend fou, car les villes ne sont pas des *cités*, c'est-à-dire des ensembles politiques, mais elles ne sont pas davantage des *communes*, c'est-à-dire des organismes sociaux. La ville moderne est un espace indifférencié, anomique ▪, qui dissout la personnalité dans l'anonymat, qui porte à l'incandescence ▪ les passions et les contradictions sociales au lieu de les apaiser. Qui est générateur d'irresponsabilité et d'infantilisme. Les villes concentrationnaires appellent la violence ou l'autorité, et le plus souvent une combinaison des deux. Entendons-nous : je ne suis pas en train de proposer l'urbanisme comme remède miracle aux maux de l'homme en société, discordances ethniques ou inégalités sociales. Mais la ville, qui reste délicieuse aux nantis ▪, est de plus en plus dure aux déshérités. C'est pourquoi il est vain de s'attaquer aux problèmes sociaux en supposant immuable ou fatal le cadre urbain qui les fait proliférer. […] Et nous devons tous nous interroger sur les conséquences d'une occupation aussi inégalitaire de l'espace que celle que nous connaissons. Car ce qui se trouve aujourd'hui menacé, ce ne sont pas seulement nos conditions de vie, c'est la condition humaine elle-même.

Jacques Julliard, *Le Nouvel Observateur*, 7.5.1992.

REPÈRES

un grand ensemble :
un ensemble d'immeubles d'habitation construits en longueur (barres) et en hauteur (tours) ; souvent synonyme d'une architecture sans imagination et de qualité médiocre

un pavillonnaire :
(néologisme) un défenseur des pavillons de banlieue

l'eucharistie sociale : le partage d'un bien commun dans un esprit communautaire (allusion au rite chrétien de l'eucharistie)

VOCABULAIRE

un conglomérat : un ensemble d'éléments disparates regroupés sans ordre apparent, tels les fragments de certaines roches

la gravité sociale : une attraction sociale qui tend à réunir des éléments qui se ressemblent

anomique : dépourvu d'organisation naturelle

porter les passions à l'incandescence : réchauffer les passions, les exacerber

un nanti : une personne comblée de richesses

• **URBANISATION**

85 % des Français sont des citadins.

(80 % des Européens habitent dans une ville. Ils seront 90 % au XXIe siècle.)

• **CRIMINALITÉ**

Le taux de criminalité est proportionnel à la taille des agglomérations :

49,2 pour 1 000 habitants pour les villes de moins de 25 000 habitants.

90,7 pour 1 000 habitants pour les villes de plus de 250 000 habitants.

S'INFORMER

1. Jacques Julliard oppose la « cité » et la « ville moderne » : qu'est-ce qui, d'après lui, sépare ces deux notions ?

2. Quelles métaphores emploie-t-il pour décrire la ville moderne ? Qu'évoque chacune de ces images ? Laquelle est la plus adaptée à la ville moderne ? Pourquoi ?

APPRÉCIER

3. Identifiez dans ce texte ce qui fait la différence entre un éditorial et un article d'information.

ANALYSER
COMPARER

4. Citez quelques villes modernes qui appartiennent au monde développé et au tiers-monde : en quoi se ressemblent-elles ? en quoi diffèrent-elles ?

5. « La ville rend fou » : êtes-vous d'accord avec cette affirmation ? Justifiez votre opinion.

INFORMER

6. Décrivez les caractéristiques d'une ville que vous connaissez. S'agit-il d'une « cité » ou d'une « ville moderne » ? Que faudrait-il faire pour y améliorer la qualité de vie ?

— J'ai remarqué qu'il y a de plus en plus de gens qui parlent tout seuls.

S'INFORMER

1. Relevez dans ce dessin tous les éléments qui évoquent les difficultés des piétons et celles des automobilistes.

APPRÉCIER

2. Cette planche fait-elle écho à l'éditorial de Jacques Julliard ?

Le littoral dénaturé

LA CÔTE D'ALERTE

PORTS DE PLAISANCE, COMPLEXES HÔTELIERS, VILLAS…
SUR LES CÔTES FRANÇAISES, ON JOUE « MASSACRE À LA BÉTONNEUSE* »

P ourquoi un tel déferlement ? Parce qu'il y a un marché, pardi ▪ ! Déjà 30 millions de vacanciers viennent sur nos 5 500 kilomètres de côtes se mêler aux 6 millions d'autochtones des 1 000 communes littorales. […] Une manne ▪. Tous les maires en veulent leur part. Le plus gros reproche qu'on puisse leur adresser est de leur dire : vous n'avez rien fait pour votre commune. Il faut donc « faire quelque chose ». Et souvent n'importe quoi. L'or bleu* peut rendre fou.

Plus de 50 % du littoral est déjà construit, mais, à en croire les aménageurs, les structures d'accueil sont insuffisantes. Il faut construire encore. Les projets se comptent

par dizaines ; 180 ports de plaisance ont vu le jour en quinze ans sur l'ensemble des côtes et les constructeurs estiment qu'il faudrait créer 7 500 places de bateaux de plus par an pour répondre à la demande ; 80 projets sont en cours de réalisation ou ne dorment que d'un œil dans les tiroirs. Rien qu'en Bretagne, du Mont-Saint-Michel* à l'embouchure de la Loire*, on en compte 17. Yvon Bonnot, président du comité régional du tourisme : « Les visiteurs viennent ici chercher des espaces naturels, un pays authentique. » Pour les satisfaire, on crée une nouvelle race de ports de plaisance qui n'ont rien à voir avec les jolis petits ports égrenés le long de la côte. […]

L'arme absolue contre l'avancée du béton, c'est le Conservatoire du littoral, créé en 1976. Cet établissement public achète des espaces naturels sur la côte, les déclare définitivement inconstructibles, les aménage et les donne en gestion aux communes. Il possède 7 % du littoral, 12 % en Corse où la pression foncière est moins forte. Mais il a du mal à convaincre les communes de payer l'entretien d'un espace naturel qui ne leur rapporte rien. Le Conservatoire a des hommes, des idées, mais pas d'argent* : « Nous avons besoin de quatre ans d'avance de budget pour faire les achats les plus urgents, sans quoi certains sites seront définitivement perdus », dit Patrice Becquet, directeur du Conservatoire. […]

Face aux constructeurs, les associations de défense jouent les empêcheurs de bétonner en rond ▪. Elles comptent souvent parmi leurs membres des avocats, des architectes, et abattent un travail énorme. Elles ont la vigilance que beaucoup n'ont plus, découragés par la complexité des recours et la mauvaise volonté des mairies. Elles marquent des points.

Caroline Brizard, Yvon Le Vaillant et Gérard Petitjean, *Le Nouvel Observateur*, 5.1991.

REPÈRES

« Massacre à la bétonneuse » : d'après le titre d'un film d'horreur, *Massacre à la tronçonneuse*
l'or bleu : les revenus des industries de la mer (par analogie à l'or noir, les revenus du pétrole)
le Mont-Saint-Michel : abbaye construite sur un promontoire à quelques kilomètres de la côte ; au nord de la Bretagne, à la lisière de la Normandie
l'embouchure de la Loire : marque le sud de la Bretagne
« le Conservatoire a des hommes, des idées, mais pas d'argent » : allusion à un célèbre slogan diffusé en France après le premier choc pétrolier de 1973 : « En France, on n'a pas de pétrole, mais on a des idées »

VOCABULAIRE

pardi ! : *(fam.)* évidemment, bien sûr
une manne : des ressources inespérées
un empêcheur de bétonner en rond : allusion à l'expression « un empêcheur de tourner en rond », celui qui entrave le déroulement normal d'une opération ; ici, celui qui empêche les travaux de construction

S'INFORMER

1. Résumez en quelques mots chaque paragraphe de l'article. Puis, dégagez le plan de ce texte.

2. Identifiez les différents protagonistes de cette « guerre des côtes » et précisez le rôle de chacun d'eux.

APPRÉCIER

3. Distinguez dans ce document les passages qui relèvent soit de l'information, soit du commentaire.

ANALYSER
COMPARER

4. Expliquez le jeu de mots du titre de l'article.

5. Un organisme comme le Conservatoire du littoral existe-t-il dans votre pays ? A-t-on mis en œuvre d'autres solutions pour préserver les sites menacés ?

INFORMER

6. Vous rédigez un article sur un problème de pollution des sites qui se pose dans votre pays. (Vous mettez en évidence les causes du problème, son ampleur, les solutions envisagées, les difficultés rencontrées, l'avenir prévisible, etc.)

CONVAINCRE

7. Vous voulez créer une association de défense pour préserver un monument, un site, etc., de votre région ou de votre ville. Vous organisez une réunion d'information pour recruter de nouveaux membres. Choisissez le thème de votre action, élaborez un argumentaire et présentez vos idées aux autres membres de la classe.

· · · · · · ·
SYNTHÈSE

Présentez un compte rendu écrit des documents illustrant le thème : « L'environnement agressé. »
· · · · · · ·

Dans un domaine aussi complexe que les rapports entre la technologie et l'environnement, il importe d'éviter les simplifications déformantes : l'exemple des emballages en plastique illustre la multiplicité des facteurs dont doit tenir compte toute décision « écologique ». Pour résoudre les problèmes d'environnement, avoir conscience des insuffisances ne suffit pas : il faut encore trouver des solutions concrètes qui exigent souvent des recherches longues et coûteuses, et, surtout, la volonté politique de les mettre en œuvre.

LA VIE SANS EMBALLAGE NE M'EMBALLE PAS !

Environnement

PLASTIQUE : ÉCOLO ■ !

Jamais matériau n'a été autant décrié. L'Italie le taxe, l'Allemagne le consigne*, le Danemark projette de le bannir. Depuis longtemps déjà, l'emballage en plastique est, dans toute l'Europe, accusé de mille maux. Il n'est pas réutilisable comme le verre, pas biodégradable comme le carton, et pas régénérable comme l'aluminium ou le fer-blanc ; il est devenu le symbole du gaspillage. Il est vrai que le commerce de détail en use et en abuse ■. Plus un clou qui ne soit maintenant vendu sous blister* plastique. Dans toutes les grandes surfaces, les sacs en polyéthylène sont distribués par poignées. Du coup, le plastique déborde des poubelles et s'en va polluer visuellement maints paysages. La cause semble entendue : il n'y a rien de moins écologique que l'emballage tiré du pétrole.

Eh bien, non, il y avait erreur sur la marchandise ! Car de récents travaux menés par des laboratoires suisses, allemands et britanniques viennent de le désigner comme le plus écologique des emballages. Prenez le très compétent Laboratoire fédéral suisse d'essais et de recherches sur les matériaux. Il n'hésite pas à donner son classement « vert » des emballages : en tête, les plastiques, devant le fer-blanc, l'aluminium, le verre et le papier-carton, bon dernier. Le monde à l'envers ! À quoi doit-on ce formidable renversement de situation ? À l'écobilan. Il s'agit d'une méthode mathématique, donc sans *a priori*, qui calcule l'exacte vertu écologique ■ de n'importe quel objet, tout au long de son processus de fabrication. L'écobilan mesure quatre paramètres :

• L'énergie consommée. Depuis l'extraction minière des matières premières utilisées jusqu'au camion qui livre la marchandise en magasin.

• Les pollutions de l'air. Y compris celles émises par la production d'énergie et le transport.

• La pollution de l'eau.

• La quantité de déchets produits.

Comme on peut le voir, l'écobilan prend l'emballage « du berceau à la tombe ■ ».

VOCABULAIRE

écolo : *(abrév. fam.)* écologique

user et abuser de quelque chose : jouir de quelque chose de manière excessive, au point de remettre en cause son existence

la vertu écologique d'un produit : ses qualités écologiques

« du berceau à la tombe » : de la naissance à la mort

à tous les coups : dans tous les cas

une canette : une petite bouteille de bière

énergivore : dévoreur d'énergie

peaufiner : *(fam.)* affiner, améliorer

Or, à ce petit jeu, l'emballage en plastique triomphe pratiquement à tous les coups ▪ de ses concurrents, y compris de ceux en papier recyclé ou en verre consigné.
Cette victoire consacre d'abord celle de la légèreté. Quand une bouteille en verre pèse 350 grammes, celle en PVC* n'affiche que 49 grammes. […] Bref, pour la fabriquer, seulement 2 % de la consommation française de pétrole suffit.
[…] Plus important : le sac en papier, la bouteille en verre ou la « canette ▪ » en fer-blanc se révèlent globalement plus énergivores ▪ que leurs rivaux synthétiques. La fabrication de papier réclame trois fois plus d'énergie que celle du plastique. Ce « plus » énergétique est souvent également bon pour la propreté : moins de polluants émis dans l'air ou les rivières. […]
Comble des paradoxes : comment expliquer les modestes prestations, devant l'écobilan, de ces bonnes vieilles bouteilles de verre consigné ? D'abord, elles pèsent si lourd que le camion qui les transporte consomme 40 % de carburant de plus que celui chargé de bouteilles en plastique. « Par ailleurs, ajoute Dieter Burklé*, on a démontré que le gain d'énergie obtenu par la collecte du verre dans des conteneurs centralisés devient une perte nette si les consommateurs se rendent au point de ramassage en voiture. » […]
Formidable instrument, l'écobilan a besoin d'être encore peaufiné ▪. Car son interprétation est, parfois, malaisée. À qui, par exemple, donner sa préférence quand, pour un produit donné, aucun des emballages en balance ne l'emporte pour chacun des quatre critères. Faut-il alors privilégier celui qui consomme le moins d'énergie ou celui qui pollue le moins l'air ou, encore, l'eau ?
À la traîne de l'Europe verte*, la France est la dernière à découvrir l'écobilan.

Frédéric Lewino, *Le Point*,
n° 956, 14.1.1991.

REPÈRES

consigner un emballage : faire payer un emballage en s'engageant à le reprendre et à le rembourser

un blister : *(angl.)* emballage composé d'une coque en plastique collée sur un fond de carton

PVC : qualité particulière de plastique

Burklé (Dieter) : délégué à l'emballage chez Atochem, société chimique

l'Europe verte : l'Europe écologique

S'INFORMER

1. Quelle définition Frédéric Lewino donne-t-il de l'écobilan ?
2. Quels sont les paramètres pris en compte par l'écobilan ?
3. Quels sont les limites de cette méthode ?
4. Présentez, sous forme d'un tableau, les inconvénients et les avantages comparés des différents matériaux d'emballages cités dans l'article.

ANALYSER
COMPARER

5. À votre avis, à quels autres domaines (ou produits) pourrait-on appliquer la technique de l'écobilan ?

IMAGINER

6. Imaginez que les emballages plastique ont été totalement interdits : quelles conséquences aurait cette mesure sur votre vie quotidienne ?

CONVAINCRE

7. Vous organisez un débat sur le thème : « Faut-il bannir les emballages en plastique ? » Vous réunissez pour discuter de cette question un fabricant d'emballages en plastique, un spécialiste de l'écobilan, un représentant d'une association de consommateurs, un écologiste. Jouez le débat.

Automobiles

• 35 % des Parisiens souffrent du bruit de la circulation et de plus en plus la nuit.
• L'automobile provoque les trois quarts de la pollution en ville. Chaque année, une voiture émet 30 kilos d'hydrocarbures imbrûlés, 35 kilos d'oxyde d'azote, 400 kilos d'oxyde de carbone (gaz mortel) et 4 tonnes de gaz carbonique.

BAGNOLES▪, JE VOUS HAIS !

C'est venu doucement mais sûrement. Flash-back▪ : à ma première quatre-roues▪, il y a vingt ans à peine, j'épousai la liberté à moteur. Pas de parcmètres, pas ou si peu de bouchons▪, pas de téléphone de bord, pas de radars, pas de Bison futé* : le bonheur mécanique pur. […]

Dans ces temps anciens, tout était nettement plus simple : on se garait en bas de chez soi et on pouvait laisser son véhicule des semaines ou des mois. Quand la batterie se déchargeait, un coup de manivelle et ça repartait. Pas besoin de limitation de vitesse : ces bolides dépassaient à peine le 80 km/h. Même la 403 commerciale* tutoyait▪ difficilement les 100 km/h. Lorsque Godard* dans *Week-end*, Tati* dans *Trafic*, Fellini* dans *Roma*, tournaient leurs travellings▪ sur d'interminables embouteillages, ça avait une allure de science-fiction. Une blague pour l'an 2000. La voiture, c'était toujours et encore la chanson de Jo Dassin* : « *Y a du soleil ! Bip ! Bip !* » Où ? Place de la Concorde*, quand Dassin draguait▪ les conductrices décapotées▪. Époque révolue. Qui a dragué qui que ce soit derrière des vitres fumées et feuilletées ces dernières années ? Insensiblement, la machine à liberté est devenue machinerie à contraintes. Qui dira l'angoisse de l'habitant de centre-ville calculant l'heure exacte où il peut revenir de son bureau pour trouver une place à moins de 1 kilomètre de chez lui ? À 20 heures, c'est trop tard : les noctambules lui ont déjà piqué▪ le créneau▪. À 18 heures ? Trop tôt, les salariés de son quartier n'ont pas encore déguerpi. Reste une opportunité entre 18h10 et 19 heures. À ne pas louper▪ ! Confondant : l'automobiliste n'est plus un sujet, mais un objet. La voiture décide quand il se lève pour éviter les PV*. Corseté dans cette seconde peau automobile, le contemporain devient esclave docile. Serf pathétique, programmé par les nouvelles du trafic sur son Big Brother* d'autoradio : « Évitez cet axe ! Empruntez celui-ci ! Ne partez pas avant midi ! » Incarcéré, le quidam▪ s'exécute. […]

Affligeant d'observer ce prisonnier consentant et plié en trois aménager sa cellule roulante de gadgets▪ dérisoires pour passer le temps en avançant au pas : le téléphone inaudible qui s'interrompt dans les tunnels et sous les pylônes électriques, l'antivol qui hulule dès qu'un chien lève la patte▪ sur la roue arrière, la hi-fi qui grésille, l'ordinateur de bord* qui couine▪ : « Fais pas ci ! Fais pas ça ! » Infantilisé, le conducteur postmoderne souffle dans des ballons*, fait des appels de phares pour prévenir son copain d'en face, tape de ses petits poings dodus sur le klaxon… Warning▪ !

Guillaume Malaurie, *L'Événement du Jeudi*, 8.10.1992.

VOCABULAIRE

une bagnole : *(fam.)* une voiture

un flash-back : *(angl.)* un retour en arrière (terme emprunté au vocabulaire du cinéma)

une quatre-roues : une voiture

un bouchon : *(fam.)* un embouteillage

tutoyer : *(ici)* se rapprocher de, atteindre

un travelling : *(angl.)* mouvement de la caméra qui glisse sur des rails

draguer : *(fam.)* courtiser

une conductrice décapotée : une femme au volant d'une voiture décapotable

piquer : *(fam.)* prendre, voler

un créneau : un emplacement de stationnement entre deux voitures

louper : *(fam.)* rater, manquer

un quidam : *(fam)* un individu (a pris un sens péjoratif)

un gadget : *(angl.)* un objet superflu en général issu d'une technologie avancée

lever la patte : *(imagé)* pour un animal, uriner

couiner : piailler, s'exprimer d'une voix aiguë

warning : *(angl.)* attention ! sur une voiture : feux de détresse

REPÈRES

Bison futé : nom donné aux opérations de guidage et de surveillance de la circulation lors des grands départs

la 403 commerciale : la voiture la plus puissante de la gamme Peugeot des années 60

Godard (Jean-Luc) : cinéaste français né en 1930 ; un des chefs de file de la « nouvelle vague » - *À bout de souffle* (1959), *Pierrot le fou* (1965), *Week-end* (1967)

Tati (Jacques) (1907-1982) : cinéaste français et l'un des maîtres du film humoristique et satirique - *Jour de fête* (1949), *Les vacances de M. Hulot* (1953), *Mon Oncle* (1958), *Trafic* (1971)

Fellini (Federico) (1920-1993) : célèbre réalisateur italien - *La Dolce Vita* (1959) , *Huit et demi* (1963) , *Satyricon* (1968), *Roma* (1971), *Amarcord* (1973)

Jo Dassin : chanteur populaire français célèbre à la fin des années 60

la place de la Concorde : place de Paris, située en bas des Champs-Élysées

un PV : un procès-verbal, une contravention pour infraction au code de la route

Big Brother : personnage invisible et tout-puissant de la nouvelle de science-fiction d'Orwell, *1984* ; symbole d'un pouvoir maléfique et omniprésent

l'ordinateur de bord : ordinateur qui contrôle le fonctionnement d'une voiture ; certains de ces ordinateurs sont dotés d'une voix synthétique

souffler dans des ballons : allusion aux contrôles anti-alcooliques auxquels sont soumis les automobilistes en cas d'accident ou d'infraction grave

S'INFORMER

1. Comparez la voiture et son environnement « autrefois » et « maintenant » à l'aide d'un tableau comme celui-ci en relevant les termes qui évoquent, dans le texte, l'aliénation du conducteur moderne.

Critères	Autrefois	Maintenant
Stationnement		
Conditions de circulation		
Voiture		
Conducteur		
Relations avec les autres		

2. Comment est-on passé de la « machine à liberté » à la « machine à contraintes » ?

APPRÉCIER

3. Comment s'exprime la satire du texte (langue, images, exemples choisis) ?

ANALYSER COMPARER

4. Quelles images évoque le couple « automobiliste/voiture » ?

5. Recherchez toutes les références cinématographiques : exemples cités, vocabulaire, construction du texte.

IMAGINER

6. Recherchez en équipe tous les moyens (même les plus fantaisistes) pour améliorer la circulation dans votre ville.

INFORMER

7. Décrivez la journée d'un automobiliste dans votre ville.

CONVAINCRE

8. Rédigez, sur le même ton, un article intitulé : « Bagnoles, je vous adore ! »

AVEC LA PUBLICITÉ VOUS ÊTES INFORMÉ.

Trafic un film de Jacques Tati - distribué par les films Corona-Paris

Cabu

LA VOITURE ÉLECTRIQUE

La voiture électrique sera pendant très longtemps exclusivement citadine. Au moins jusqu'à l'industrialisation des « hybrides », c'est-à-dire des modèles produisant eux-mêmes leur propre électricité. Quant à ses performances, ne rêvons pas de formule 1*. Attendez-vous plutôt aux folies d'une brave « Deuche* » des années 50. Mais une 2 CV qui – miracle ! – serait vierge à la fois de tout décibel et de toute vibration.

À qui, alors, vendre ces machines propres et silencieuses ? Un coup d'œil sur cette petite équation : à Paris (et dans les très grandes villes françaises), le taux d'occupation moyen est de 1,18 passager par véhicule. La longueur moyenne des trajets quotidiens domicile-travail est de 20 kilomètres. Il est rare que la somme des trajets purement urbains dépasse 50 à 70 kilomètres par jour. Additionnez ces paramètres, et vous obtenez la cible du véhicule électrique : soit le petit utilitaire (on en dénombre 5 millions dans l'Hexagone) ; soit la seconde voiture d'un ménage vivant dans les grandes villes. […] La révolution « douce » est en marche. Oh ! elle ne dévaluera certes pas l'essence avant longtemps, cette révolution. Mais elle démarre sérieusement en France.

Jean-Pierre Adine, *Le Point*, n° 1046, 3.10.1992.

AILLEURS EN EUROPE…

Il y a l'exemple, maintenant bien connu, d'Athènes, qui a dû interdire de circuler dans ses rues un jour sur deux, sous peine de périr asphyxiée. En Italie, c'est la croisade : 42 villes ont choisi d'expulser les voitures de leur centre historique. […]

À l'interdiction de circuler, les pays scandinaves préfèrent le péage urbain. Bergen l'a adopté en 1987. Le trafic s'en est trouvé allégé de 6 à 7 %. Pas plus, car – cruelle ironie ! – les autorités n'avaient pas prévu que les deux tiers des automobilistes se verraient offrir un abonnement annuel par leurs entreprises. Oslo possède également son péage depuis une vingtaine de mois. D'abord surnommé « le mur de Berlin », il est aujourd'hui bien accepté par les habitants. […] La contagion du péage gagne vers le sud. Il verra bientôt le jour autour d'Amsterdam - La Haye - Rotterdam - Utrecht. Londres également en caresse l'idée : les deux grands syndicats▪ qui regroupent les communes du Grand Londres l'appellent de tous leurs vœux.

À ces remèdes de cheval▪, les villes allemandes et suisses préfèrent l'homéopathie▪, tout aussi efficace. Pas de péage, pas d'interdiction, mais tout une série de mesures pour décourager l'automobiliste de circuler et pour privilégier les transports en commun. Berne a ainsi choisi de canaliser le trafic sur quelques grands axes et, ailleurs, de limiter la circulation à 30 kilomètres à l'heure. Depuis 1989, toute création de parking public est bloquée. À Zurich, c'est encore plus frappant : tout est fait pour décourager les voitures au profit des tramways, qui se succèdent à un rythme très soutenu. Le moindre retard est aussitôt annoncé à chaque arrêt par des haut-parleurs. Ainsi le Zurichois est devenu le recordman européen des transports en commun, avec 470 déplacements par an. Zurich compte encore faire ainsi reculer le trafic automobile de 30 % ! Mais celui qui a le plus vite retourné sa veste▪, c'est le maire de Munich. Il a abandonné la construction des longs tunnels souterrains destinés à boucler son périphérique pour affecter tout son budget transports à la création de nouvelles lignes de métro !

Dossier *Europe 1/Le Point*, n° 1046, 19.10.1991.

REPÈRES

la formule 1 : catégorie de courses automobiles réservées aux voitures les plus puissantes
une « Deuche » : surnom donné à la 2 CV, petite voiture célèbre des années 50 et 60 (Citroën)

VOCABULAIRE

un syndicat : *(ici)* une administration qui gère les services communs d'un regroupement communal
un remède de cheval : un remède violent
l'homéopathie : médecine douce qui agit à doses très faibles
retourner sa veste : changer complètement d'avis

S'INFORMER

1. Quelle est la clientèle potentielle de la voiture électrique ? Pour quelles raisons ?

2. Relevez toutes les solutions envisagées en Europe pour résoudre le problème des transports urbains ; classez-les dans un tableau comme celui-ci :

Pays	Ville	Mesures prises

INFORMER

3. Présentez un compte rendu de la situation de votre ville en matière de circulation (problèmes, solutions mises en œuvre, bilan, etc.).

ANALYSER COMPARER

4. Quels avantages présente la voiture électrique par rapport à la voiture traditionnelle ? Quelle peut être la place d'une telle voiture dans le cadre des mesures envisagées par les villes européennes citées dans l'article ?

CONVAINCRE

5. Débat autour d'un projet de transformation du centre de votre ville en zone piétonne : partisans et opposants s'affrontent. Choisissez les participants concernés par ce sujet et jouez le débat.

TRANSPORTS URBAINS : LES NOUVELLES APPROCHES

Zurich, en Suisse, sur le bord du lac Léman, sert de modèle à Nantes en matière de transports urbains, tandis que la voiture électrique française s'apprête à conquérir la cité de demain.

• • • • • • •
SYNTHÈSE

Présentez un compte rendu écrit des documents illustrant le thème : « La technologie contestée. »

• • • • • • •

S'INFORMER REGARDER

Observez la construction de ce document pour illustrer le thème choisi :

1. Que nous montre la suite d'images du début à la fin du document ?

2. Quels sont les différents types de transports montrés successivement ? Quel contraste apparaît-il ?

3. Quelles hypothèses pouvez-vous faire sur le thème de ce document, en tenant compte également du titre du sujet ?

S'INFORMER ÉCOUTER

4. Écoutez l'ensemble du reportage. Quelle est la politique suivie par la ville de Zurich en matière de transports ? Quelle est celle de Nantes ?

5. Comment s'insère la voiture électrique dans cet ensemble de mesures ?

ANALYSER COMPARER

6. À votre avis, la voiture électrique est-elle la solution miracle pour les grandes agglomérations urbaines, comme Paris par exemple ?

CONVAINCRE

7. Vous êtes un chaud partisan de la voiture électrique. Vous exprimez votre point de vue lors d'une table ronde réunissant des citadins, des élus locaux, des responsables de l'environnement urbain.

L'industrie met au service de l'environnement des techniques de plus en plus efficaces pour prévenir les catastrophes naturelles, pour comprendre et soigner les fragiles écosystèmes de la planète : forêt amazonienne ou ressources en eau. Bien maîtrisées et bien utilisées, la science et la technologie peuvent ainsi devenir les meilleurs alliés de l'homme.

LE SATELLITE AU SERVICE DE LA PLANÈTE

L'image satellite est un outil irremplaçable pour prévenir les catastrophes par l'établissement de cartes des risques et de vulnérabilité : les chercheurs du Laboratoire de géologie structurale de l'Université Pierre-et-Marie-Curie de Paris ont détecté sur l'image satellite du volcan Nevado Sabancay la disparition locale de la couverture neigeuse. Ce symptôme d'une réactivation d'un volcan considéré comme éteint s'est vu confirmer par l'apparition de fumerolles, puis par l'éruption du 28 mai 1990. La carte des risques permet immédiatement de déterminer et d'identifier toutes les zones habitées directement menacées après une éruption, ou les conséquences sur l'activité agricole.

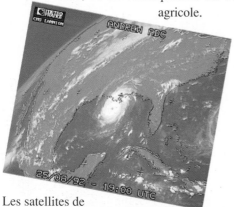

Les satellites de météorologie comme GOES-7 permettent de suivre l'évolution de phénomènes ponctuels tel l'ouragan Hugo avant son passage en Guadeloupe.

SATELLITES : PRÉVENIR LES RISQUES

Les images du satellite d'observation SPOT sont utilisées par l'Observatoire Loire pour prévenir les risques et les nuisances dus aux travaux d'aménagement du bassin de la Loire, le plus grand fleuve de France.

REPÈRES

ZNIEFF : zone naturelle d'intérêt écologique faunique et florique

POS : plan d'occupation des sols

la Loire : le plus long fleuve de France naît dans le Massif central, dans le centre de la France, et se jette dans l'océan Atlantique, à l'ouest

S'INFORMER

1. Dans quels domaines sont utilisés les deux satellites cités dans ce document ?

2. Dans le premier exemple, quels sont les symptômes révélés par le satellite ?

ANALYSER COMPARER

3. Quels sont les avantages des satellites par rapport aux autres moyens de prévention ?

4. Avez-vous constaté dans votre vie quotidienne des retombées de l'utilisation des satellites (informations météorologiques, télévision, téléphone…) ?

LE RADEAU DES CIMES

'acquis scientifique dans le domaine des forêts tropicales humides résulte presque entièrement de travaux effectués au niveau du sol, dans les premiers mètres de la forêt. Cependant, la plupart des phénomènes biologiques concernant les arbres et les lianes (reproduction, croissance, évolution…) se déroulent bien plus haut, à 30 ou 40 mètres du sol, dans la couche de feuillage qui forme l'interface forêt-atmosphère : la canopée.

De cette constatation est née l'association « Opération Canopée », dont la vocation est de permettre à des chercheurs d'étudier cette partie supérieure de la forêt abritant un milieu riche et peu connu. […]

Aujourd'hui, un nouvel instrument scientifique est né. Le radeau des cimes permet à un groupe de spécialistes dans des disciplines complémentaires de travailler simultanément sur un site forestier de vaste étendue, à l'aide de matériel lourd embarqué sur sa plate-forme ; par sa mobilité, il facilite aussi l'accès à un nombre illimité de sites, ce qui implique des relevés plus abondants et variés. […]

Concrètement le radeau est composé d'un dirigeable de 7 500 mètres cubes et de 48 mètres de long et d'une plate-forme. Cette dernière est une structure hexagonale de 600 mètres carrés et de 750 kilos constituée d'un assemblage modulaire de poutres gonflées à l'air, reliées par un filet. Le dirigeable dépose la plate-forme sur la canopée où elle flotte, servant à la fois de site d'observation, de lieu de travail et d'espace de vie pour les équipes scientifiques qui y accèdent à l'aide de matériel d'alpinisme classique.

Atlas, juin 1992.

Dans l'engouement des entreprises pour le marketing écologique, quelle est la part de la mode, de l'opportunisme et de la prise de conscience réelle des industriels quant à leurs responsabilités de pollueurs ? La sauvegarde de l'environnement est depuis quelques années un enjeu politique au niveau des États. Dans la mesure où l'économie « verte » répond aux besoins profonds des usagers, elle est en passe de devenir aussi un enjeu politique au sein des entreprises.

LES ENTREPRISES SUR LA VAGUE ÉCOLO

[L'association Entreprises & Environnement, créée par des entreprises industrielles en 1987] a collecté 10 millions de francs durant ces dernières années, monté et financé plus d'une quarantaine d'opérations de reboisement, de plantation, de prévention d'incendie dans des sites protégés, de sauvegarde du patrimoine paysager, de protection du littoral sur le territoire métropolitain. Toutes ces actions n'ont rien de répréhensible et de surcroît sont utiles et souvent sympathiques.

Mais leur « désintéressement » ne doit pas faire illusion. [...] Les journalistes ne sont pas dupes et observent avec circonspection la vague verte qui a saisi les entreprises. « Éco-produits, éco-décideurs, éco-managers… Il y a tellement de déclinaisons ▪ qu'on en a presque la nausée », juge Catherine Mallaval, du supplément

BIENVENUE DANS UN MONDE PLUS FERTILE, PLUS SAIN, PLUS ÉQUILIBRE.

RHÔNE-POULENC

VOCABULAIRE

une déclinaison : *(ici)* des variations sur un même thème

pipé : truqué, faussé

REPÈRES

un dircom : abréviation familière pour « directeur de la communication », responsable dans l'entreprise des actions de publicité, d'information et de communication

Rhône-Poulenc : l'un des premiers groupes chimiques de France

Que choisir ? : magazine de défense des consommateurs

un mécène vert : *(ici)* une entreprise qui finance des actions de protection de l'environnement

Sylvaine Villeneuve : journaliste à *Libération*

« Terre » de *Libération*. « C'est le gros gâteau du marketing vert. [...] Bien sûr, il y a une tendance réelle des entreprises à se préoccuper de l'environnement, on ne peut pas simplement en rire, mais c'est aussi une mode et une bonne façon de faire sa pub, de communiquer. » [...]

« La montée de l'écolo-marketing peut se révéler pipée *et dangereuse », affirme André de Marco, dircom* de Rhône-Poulenc*. C'est tout à fait ce que pense – mais peut-être pas dans le même sens... – Jean-Pierre Bruneau, du mensuel *Que choisir ?* * : « Il y a toute une communication assez habile qui surfe sur la vague verte. On voit ainsi les plus pollueurs comme Rhône-Poulenc ou les pétroliers devenir des "mécènes verts"*. Les pétroliers ou les industries chimiques feraient mieux de se préoccuper un peu plus de dépolluer leurs usines. Quant aux produits écolos, on nous a longtemps présenté des soit-disant produits "verts" sous la seule justification qu'ils étaient dans des emballages "recyclables". Recyclable ne signifie pas du tout qu'ils soient recyclés... [...] Ce qu'il y a de nouveau maintenant, c'est qu'il y a des pressions très fortes sur le plan réglementaire et législatif qui s'appliquent aux entreprises en matière d'environnement. Il y a aussi, c'est vrai, un certain nombre d'industriels qui sont en train d'évoluer... » Mais, ainsi que le dit avec ironie Sylvaine Villeneuve*, les entreprises « ne viennent pas naturellement à la protection de l'environnement ».

La Lettre CIM (Centre d'information sur les médias), n° 25, mars-avril 1993.

S'INFORMER

1. Relevez les actions menées par les entreprises en faveur de l'environnement et celles qu'elles devraient mener.

2. Quels produits a-t-on longtemps pris pour des produits « verts » ?

3. L'attitude des entreprises à l'égard de l'environnement a-t-elle évolué ? Pour quelles raisons ?

APPRÉCIER

4. Cet article présente-t-il une vision : élogieuse, neutre, critique de l'attitude des entreprises industrielles par rapport à l'écologie ? Relevez dans le texte les éléments qui justifient votre opinion.

ANALYSER COMPARER

5. Expliquez les termes et expressions : « éco-produit », « éco-décideur », « éco-manager », « C'est le gros gâteau du marketing vert », « surfer sur la vague verte ».

6. Pourquoi J.-P. Bruneau établit-il une distinction entre « recyclable » et « recyclé » ?

7. Rapprochez ce texte du thème « Le consommateur nouveau est arrivé ! » (voir p. 49) : la vague verte vous paraît-elle effectivement une mode ou une lame de fond ?

INFORMER

8. Vous souhaitez recueillir l'avis d'un industriel et d'un directeur de la communication sur le contenu de cet article : préparez les questions que vous leur poserez au cours de l'entretien.

L'ENVIRONNEMENT : CRÉATEUR D'EMPLOI

Cette émission du « Téléphone sonne » accueille Christian Barnier, ministre de l'Environnement.

ÉCOUTER

1. Notez le ton de tous les intervenants. Comment caractérisez-vous le langage parlé de chacun : soutenu, formel, relâché ? Y a-t-il uniformité ou disparité entre chacun d'entre eux ?

S'INFORMER

2. L'environnement est-il une préoccupation majeure ou secondaire pour le ministre ? Quel argument emploie-t-il pour justifier sa réponse ?

3. Quelle mesure concrète le ministre compte prendre pour mettre en œuvre sa politique ?

Quelle retombée aura-t-elle dans l'avenir ?

4. Quels sont les domaines précis dans lesquels l'environnement a créé et va créer des emplois ? À qui s'adressent ces nouveaux emplois ?

5. À quelle école appartient l'auditrice qui dialogue avec le ministre ? Quel problème soulève-t-elle ? Que fait valoir le ministre dans sa réponse ?

ANALYSER COMPARER

6. La préoccupation nouvelle de l'environnement dans les sociétés industrielles suppose-t-elle, d'après vous, un changement radical dans leur mode de consommation et de production ?

7. En conséquence, l'environnement est-il, selon vous, créateur d'emplois à court ou long terme ?

8. Existe-t-il une politique de l'environnement dans votre pays ? Si oui, quelles en sont les applications concrètes ?

REPÈRES

un appelé du contingent : un jeune qui fait son service militaire

le service national de l'Environnement : service civil effectué dans des structures de protection de l'environnement, en lieu et place du service militaire

l'Alsace : région de l'est de la France

les Brigades vertes : en Alsace, corps de « gardes de la nature », ayant pour mission de protéger l'environnement

Chambéry : préfecture de la Savoie, dans les Alpes

l'OCDE : voir p. 76

IL FAUT DES VERTS* DANS L'ENTREPRISE

DES FERMETURES D'USINES OU DES MARCHÉS NOUVEAUX ?
QUELLES CONSÉQUENCES LES PATRONS DOIVENT-ILS TIRER DE LA MONTÉE POLITIQUE
DES ÉCOLOGISTES ?

Paul de Backer, directeur environnement chez Thomson* et auteur du livre Le Management vert *(Dunod) et Nick Robbins, consultant auprès de la Commission européenne* et auteur de* L'Impératif écologique *(Calmann-Lévy) répondent aux questions de* L'Entreprise.

Question. – Comment introduire l'écologie dans l'entreprise ?

NICK ROBBINS. – Il faut impliquer tout le personnel dans les questions d'environnement. Cela passe par la formation des salariés, par la présence d'un « Monsieur Environnement » au comité de direction (qui ait le même poids que le directeur financier) et, le cas échéant, par des primes pour ceux qui trouvent des idées écologiques (Bayer* le fait). En Angleterre, nous disons que le chef d'entreprise doit désormais prendre en compte les droits des « stakeholders » (employés, citoyens, syndicats, tous ceux qui ont un « intérêt » dans l'entreprise) et pas seulement des « shareholders » (actionnaires).

PAUL DE BACKER. – Il faut aller infiniment plus loin. Prenons le cas d'un dirigeant d'une petite entreprise de traitement de surface. Pour lui, les problèmes de couche d'ozone* ou de forêt amazonienne sont très lointains. Son problème écologique, c'est le bain d'acide qu'il jette dans la rivière le vendredi soir. La manière la plus efficace et la plus constructive pour l'obliger à changer, c'est de favoriser l'émergence d'une force contradictoire comparable à celle que fut le syndicat ouvrier pour les questions sociales. Tant que cette opposition n'existera pas, le P-DG se sentira responsable uniquement vis-à-vis de ses actionnaires et uniquement de la rentabilité des capitaux investis. Pour le moment, ces forces d'opposition (groupes écologistes, mouvements de consommateurs) existent, mais sont *à l'extérieur* de l'entreprise. C'est insuffisant, peu constructif, voire dangereux, car cela amène le diktat " de groupes écologistes qui, de force ou via une loi, exigent la fermeture d'une usine. Bref, il faut que des Verts entrent dans l'entreprise.

Question. – Le Vert dans l'entreprise peut-il se faire reconnaître à travers les syndicats actuels, ou par le biais de syndicats « verts » ?

PAUL DE BACKER. – Peu importe.

Toutes les voies sont ouvertes. Je dis simplement que pour avoir un vrai dialogue social, il nous a fallu trois générations de managers ▪ et trois grandes dates : 1936, 1968 et 1982 (lois Auroux)*. Pour l'environnement, il devrait se passer la même chose. Mais pour le moment, dans l'entreprise, le dialogue « vert » est à la mesure de ce qu'était le dialogue social à l'époque de Zola*.

Question. – On parle beaucoup des bilans verts*…

NICK ROBBINS. – Dans les dix ans qui viennent, les entreprises publieront des annexes hors bilan où elles préciseront quels sont leurs indicateurs, leurs investissements, leurs objectifs, leurs coûts en matière d'environnement. Les repreneurs d'entreprises exigeront que les résultats de ces audits soient rendus publics. La Communauté table sur le fait que les entreprises joueront le jeu. Si tel n'est pas le cas, l'obligation de procéder à un audit vert* pourrait être établie, ouvrant par là un vaste marché aux consultants. […]

Question. – À quel prix ? Les produits « verts » doivent-ils être vendus plus chers que les autres ?

PAUL DE BACKER. – Les enquêtes consommateurs faites en Europe du Nord montrent qu'une entreprise peut augmenter le prix de son produit de 20 % dès qu'elle peut y coller un label vert*.

NICK ROBBINS. – C'est vrai à court terme, mais logiquement, par la suite, si l'entreprise améliore ses méthodes de fabrication et utilise des matières recyclables (ce qui rend nul le coût de la matière première), les produits propres devraient coûter moins cher et donc être vendus moins cher que les produits polluants. […]

PAUL DE BACKER. – Les patrons qui pensent que le vert va leur coûter cher doivent savoir deux choses. S'ils ne font rien, la pollution continuera d'être payée par la collectivité, ce qui, inévitablement, augmentera les charges à terme. Second point : l'augmentation du coût du travail a été le moteur de la productivité et de l'innovation. Il en sera de même pour les usines propres et les produits verts.

Propos recueillis par Éric Meyer, *L'Entreprise*, n° 79, avril 1992.

VOCABULAIRE

un diktat : *(all.)* une décision imposée

un manager : *(angl.)* un dirigeant d'entreprise

REPÈRES

un Vert : *(fam.)* un écologiste

Thomson : grand groupe français d'électronique

la Commission européenne : organe exécutif de la Communauté européenne

Bayer : groupe chimique et pharmaceutique suisse

la couche d'ozone : situé dans la haute atmosphère, ce gaz protège la terre contre les attaques des rayons ultraviolets émis par le soleil ; au-dessus de l'hémisphère sud, cette couche présente des déchirures imputables, selon certains scientifiques, à l'action de gaz émis par les réfrigérateurs, les aérosols, etc.

Zola (Émile) (1840-1902) : écrivain français qui a décrit la condition des ouvriers au XIXe siècle

les lois Auroux : lois sur l'expression des salariés dans l'entreprise, votées en 1982

un bilan vert : annexes au bilan annuel de l'entreprise regroupant les dépenses consacrées aux investissements à caractère écologique (recyclage, lutte contre la pollution, prévention, etc.)

un audit vert : contrôle de tous les postes (techniques et financiers) de l'entreprise ayant un lien avec l'écologie

un label vert : marque apposée sur les produits fabriqués conformément aux exigences écologiques

S'INFORMER	ANALYSER COMPARER	INFORMER
1. Résumez en quelques mots les deux possibilités offertes aux Verts pour agir sur l'entreprise. **2.** Relevez les avantages et les inconvénients de ces deux modalités d'action. **3.** À quoi servent les « bilans verts » ? Comment seront-ils mis en place ?	**4.** Quel parallèle Paul de Backer établit-il entre le dialogue écologiste dans l'entreprise et le dialogue social ? Pensez-vous que ce parallèle est justifié ? **5.** Comment réagissent les consommateurs aux produits « verts » ? Rapprochez ce débat du thème « Le consommateur-nouveau est arrivé » (voir p. 49).	**6.** Vous avez assisté au débat entre Paul de Backer et Nick Robbins : vous rédigez pour votre directeur un compte rendu succinct de la discussion. **7.** Élaborez en groupe le profil d'un « Monsieur Environnement » (formation, expérience professionnelle, personnalité, missions), en précisant le type d'entreprise concernée par ce poste (taille, activités, localisation, etc.).

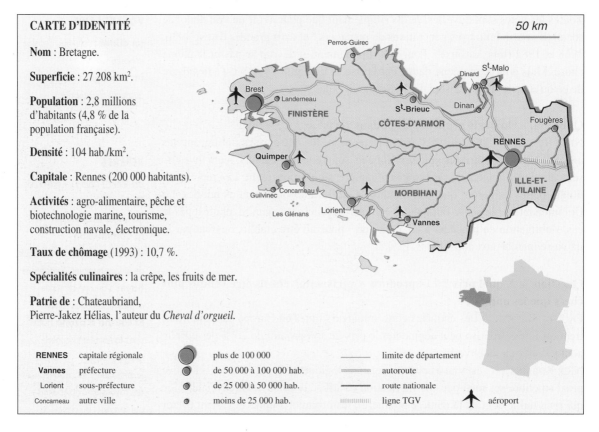

CARTE D'IDENTITÉ

50 km

Nom : Bretagne.

Superficie : 27 208 km².

Population : 2,8 millions d'habitants (4,8 % de la population française).

Densité : 104 hab./km².

Capitale : Rennes (200 000 habitants).

Activités : agro-alimentaire, pêche et biotechnologie marine, tourisme, construction navale, électronique.

Taux de chômage (1993) : 10,7 %.

Spécialités culinaires : la crêpe, les fruits de mer.

Patrie de : Chateaubriand, Pierre-Jakez Hélias, l'auteur du *Cheval d'orgueil*.

RENNES	capitale régionale	● plus de 100 000	———	limite de département	
Vannes	préfecture	● de 50 000 à 100 000 hab.	═══	autoroute	
Lorient	sous-préfecture	● de 25 000 à 50 000 hab.	———	route nationale	
Concarneau	autre ville	● moins de 25 000 hab.	||||||	ligne TGV	✈ aéroport

BRETAGNE : IMAGINER LE FUTUR

En trente ans, la Bretagne est devenue l'une des régions les plus dynamiques de France. Première région maritime, première région agricole, elle est aussi en tête des régions françaises et parmi les toutes premières d'Europe pour son industrie agro-alimentaire. De grands groupes industriels, de puissantes coopératives mais aussi un tissu dense de PME innovantes transforment les produits de la terre et de la mer. En collaboration avec des centres de recherche et de transfert de technologies, ces entreprises mettent au point les aliments du futur mais aussi des applications inattendues et des substances actives pour la pharmacie, la cosmétique. Des matériaux ou des molécules nouvelles sont obtenus à partir de produits, et même de sous-produits, de l'agriculture et de la pêche et, bien sûr, à partir des algues cultivées au long des côtes bretonnes. Avec près de 6 000 emplois directs, la mer fait vivre en Bretagne le tiers des pêcheurs et des conchyliculteurs ▪ de France. Confronté à une grave crise de la ressource, ce secteur cherche à valoriser davantage les produits de la mer, frais et transformés, et recherche des diversifications. De grandes premières françaises et mondiales sont d'origine bretonne. Les réseaux de transmission Transpac*, le Minitel*, Numéris*, figurent parmi les grandes réussites de la recherche menée en Bretagne dans le domaine des télécommunications et de l'électronique.

Une agriculture performante et très structurée, une industrie agro-alimentaire qui développe, au plus près des productions de base, des produits de plus en plus élaborés, la recherche mais aussi la production de matériels de télécommunication et d'électronique, ces dominantes sont désormais reconnues en Bretagne. Moins connues peut-être, mais bien vivantes, la recherche dans le domaine de l'imagerie médicale ou la production de matériaux composites pour l'automobile, pour la construction navale et pour les grands multicoques qui emmènent, sur tous les océans, les aventuriers des grandes courses au large.

Conseil régional de Bretagne.

VOCABULAIRE

les conchyliculteurs : les éleveurs, à l'échelon industriel, de coquillages

REPÈRES

le réseau Transpac : réseau de communication qui permet de transmettre des communications téléphoniques et des informations d'un ordinateur à l'autre
le Minitel : voir p. 47
Numéris : réseau de communication qui permet de transmettre des informations numérisées d'excellente qualité, très rapidement et en très grande quantité

Voile

CARAÏBES-SUR-BRETAGNE

Vous penserez d'abord que vous rêvez et que vous êtes allés mouiller aux antipodes. Pourtant, vous serez bien en Bretagne. Mais face aux eaux si claires de l'archipel, vous vous direz que si ce n'est pas les Caraïbes, ça leur ressemble bougrement ! Autour, un chapelet d'îles. Sur quatre d'entre elles, Les Glénans.

Pour la navigation, ce lagon si bien abrité est tout à la fois un lieu idéal d'initiation, un champ d'exploration et une base de vitesse pour les catamarans, dériveurs et planches à voile.

Christian Melquiond, chef de base aux Glénans.

Innovation

LA CRÊPE PREND UN COUP DE JEUNE

C'est sans doute parce qu'il est stéphanois que Christian Faure a osé bousculer la tradition de la crêpe en Bretagne. En 1988 à Landerneau, ce jeune chef d'entreprise a créé « Whaou », la première crêpe fourrée. La concurrence ayant tendance à le copier, cet ancien élève d'une école hôtelière continue à innover.

Dans quelques jours, sort la « Crêpounette », la mini-crêpe pour les petits appétits et bientôt le plateau-repas « micro-ondable ∎ » et jetable. La krampouez ∎ prend un sacré coup de jeune !

Dominique Le Bian-Rivier, *Le Télégramme-Finistère*, 5.11.1992.

VOCABULAIRE

micro-ondable :
(néologisme) réchauffable dans un four à micro-ondes
la krampouez : la crêpe en breton

S'INFORMER

1. Quelles activités économiques sont évoquées dans la presse bretonne ?

2. Relevez, dans ces différents articles, toutes les références à la mer.

APPRÉCIER

3. À quels types de documents appartiennent ces différents textes : article d'information, article de faits divers, commentaire, dépliant publicitaire, dossier d'information, éditorial, support de promotion régionale. Dans chaque cas, expliquez votre choix (sujet traité, nature de l'information, style).

4. Quelles contradictions apparaissent entre les faits mentionnés dans certains de ces documents ?

INFORMER

5. Vous souhaitez connaître les réactions des habitants d'un port breton. Rédigez les questions que vous poserez à vos interlocuteurs.

Pêche

LA BRETAGNE S'INQUIÈTE POUR SA PÊCHE

POISSON PLUS RARE, COURS TROP BAS, EMPRUNTS TROP LOURDS...

La pêche bretonne, c'est la moitié de la production française en valeur. La filière : 25 000 emplois directs, autant d'emplois induits. Et sur certaines portions du littoral, la principale activité. Dans le canton du Guilvinec, les deux tiers de la population active en dépendent. Quand la pêche tousse, la Bretagne s'enrhume. [...]

Mais la volonté régionale de tenir dans le gros temps se heurte à celle de Bruxelles de réduire encore les flottilles, ce qui « peut mener à la désagrégation de toute la filière ». Pour la Chambre régionale de commerce, il faudra donc une politique de conversion d'activités et d'accompagnement social. Message adressé aux pouvoirs publics et à Bruxelles.

D'après Jean Huchet, *Ouest-France*, 5.11.1992.

Solidarité

UNE JOURNÉE EN MER POUR LES HANDICAPÉS

Pen Bron, c'est une presqu'île. En fait, une île de grand large pour ces 200 habitants de la Loire-Atlantique assignés à résidence ▪ : la plupart graves accidentés de la route qui subissent, entre mouettes et embruns, une interminable rééducation. Vissés à leurs fauteuils, ils observaient les bateaux du Croisic : le port d'en face. Deux mondes s'ignoraient : seules les femmes des marins, employées au centre, allaient et venaient. Alors, au printemps 1984, elles ont décrété un jour de fête, un festival pour leurs patients. Un jour, c'est peu. Et c'est énorme. Le jour où leurs marins de maris ont eux aussi jeté l'ancre dans la presqu'île d'en face. À l'aube, chaque mois de juin, 90 bateaux de toutes tailles et de tous âges viennent donc chercher les pensionnaires du centre. Les employés, aidés des pompiers et des sauveteurs en mer, les soulèvent dans leurs bras pour les hisser sur les pontages avant de les y arrimer solidement. Des mois qu'ils l'attendent, cette sortie en mer, qu'ils rêvent aux six heures de navigation : Noël, Pâques et le 14 Juillet à la fois. Durant toute la nuit, au port d'Arzal, la fête continuera. Les 200 bénévoles du Croisic sont tous là. […] Les rares invitations s'arrachent désormais bien au-delà de Pen Bron, de l'Atlantique et de la Loire. Les handicapés de Rennes, du Mans, de Créteil viennent au rendez-vous marin… Mieux : depuis 1987, Joël Dupont et d'autres patrons pêcheurs, cette fois-ci du port voisin de La Turballe, organisent, en août, une autre journée spéciale jeunes : 90 handicapés physiques et mentaux de 3 à 20 ans. Tous transportés par chalutier jusqu'à l'île d'Hoëdic. Là, les marins les cajolent, les baignent dans leurs bras. Émotion. Joël Dupont, patron de chalutier, le premier : « Maintenant, les gars ont l'habitude. Ils savent comment s'y prendre avec les mômes ▪… » La nuit venue, les commerçants de La Turballe prennent le relais des marins. Ils cotisent pour un dîner de clôture. Et le bénéfice sert toujours aux patients de Pen Bron. De quoi, l'année dernière, payer une porte électronique pour que les handicapés puissent mieux circuler.

Sophie Joëssel, *L'Événement du Jeudi*, 9 juillet 1992.

S'INFORMER

1. Identifiez les actions de solidarité citées dans ce document.

2. Repérez tous les acteurs de ces actions.

APPRÉCIER

3. Trouvez-vous ce document émouvant ? Comment la journaliste nous fait-elle partager les sentiments des participants à cette journée ?

INFORMER

4. Un des pensionnaires de Pen Bron écrit à un ami ou à un membre de sa famille pour décrire cette journée avec les pêcheurs.

VOCABULAIRE

assigner à résidence : dans le langage juridique, obliger quelqu'un à ne pas quitter un lieu désigné

un môme : *(fam.)* un enfant

Cinéma

LE FESTIVAL DU FILM COURT DE BREST

Autant le savoir : il est désormais de la dernière incongruité de parler de « courts-métrages ». Il est infiniment recommandé d'avoir recours, dans les conversations, à l'expression « films courts ». Ce qui, de toute évidence, change tout. Pourtant, « court métrage » vous avait un petit côté spécifique pas déplaisant. Rien de péjoratif, en tout cas.

Pas de quoi, direz-vous, faire de ce changement sémantique tout un cinéma. Le vocabulaire comme la mode a ses tics. Le septième Festival de Brest est donc, qu'on se le tienne pour dit, celui du « film court » puisque telle est la dénomination retenue par les organisateurs. Quitte d'ailleurs à ce que cette appellation, pour être d'origine contrôlée, fleure l'abusif quand certaines des « œuvres brèves » (tiens, pourquoi pas ?) en compétition flirtent avec la demi-heure de projection. Autre chose. Le terme « off festival » chargé d'englober toutes les manifestations parallèles à la compéti-tion fait fureur dans les allées ouatées du « Quartz ». Dans ces conditions, on ne s'étonnera pas outre mesure que, au sein de la programmation en question, figurent aux séances prévues après minuit des « strange » et autres « road movies ». Là encore, pourquoi pas ? Le Festival s'est mis à l'heure de l'Europe, n'est-il pas, et l'Angleterre et sa langue en font partie. Ce qu'on en disait, c'était juste histoire de causer. Et de jouer sur les mots. Comme tout le monde…

André Rivier, *Le Télégramme de Brest et de l'Ouest*, 5.11.1992.

S'INFORMER

1. Relevez et classez les mots de ce texte en quatre groupes : vocabulaire du cinéma - termes anglais - vocabulaire appartenant au langage soutenu - expressions du langage parlé.

ANALYSER COMPARER

2. Aimez-vous les « films courts » ? Constituent-ils, à votre avis, une forme cinématographique à part entière ?

Le jury du 7ᵉ Festival du Film Court de Brest : Gabrielle Lazure, Gérard Darmon et Vincent Lindon.

Musique

SONNEZ, BINIOUS !

Mille bombardes [*] ! La vingt-deuxième édition du Festival interceltique de Lorient débutera au son des bagads ce vendredi. Pendant dix jours, *uillean pipes, gaïtas* et *lowland pipes* (respectivement : cornemuses irlandaises, galiciennes, écossaises) vont résonner dans les murs de la ville. À l'affiche, 260 spectacles auxquels participeront 4 500 artistes. Concerts de rock irlandais, de folk asturien, triomphe des sonneurs ou des Pipe Bands, danses de Galice : toute la planète celte se donne rendez-vous sur les quais et dans les tavernes du port breton. Un exploit remarquable au cœur d'une région où, trop souvent, le biniou et tout l'attirail que l'on y rattache relèvent d'un attrape-nigaud [*] pour touriste.

La musique celtique existe pourtant et elle ne s'est sans doute même jamais aussi bien portée. Aux quatre coins du monde, les festivals se multiplient… […] Et en Bretagne ? Tout va bien. Lorient y joue le rôle d'un véritable pôle d'attraction capable d'attirer, le temps du festival, plus de 250 000 visiteurs.

Bernard Géniès, Le Nouvel Observateur,
30.8.1992.

VOCABULAIRE

une bombarde : un hautbois en usage en Bretagne ; « mille bombardes » : allusion à l'exclamation d'étonnement « mille tonnerres ! » souvent utilisée par l'un des personnages de *Tintin*, le capitaine Haddock

un attrape-nigaud : un moyen de tromper un naïf

S'INFORMER

1. Repérez tous les instruments de musique cités dans l'article.

2. Relevez les pays et régions cités qui appartiennent à la culture celtique.

3. Quelles informations l'article donne-t-il sur le rayonnement du festival ?

ANALYSER
COMPARER

4. Comment expliquer l'engouement du public pour les manifestations de cultures régionales et/ou anciennes ?

INFORMER

5. Un festival qui renoue avec d'anciennes traditions existe-t-il dans votre pays ? Si oui, présentez-le à un groupe de touristes francophones.

FESTIVAL INTERCELTIQUE

CRÉDIT AGRICOLE

Lorient bretagne
4 au 13 AOUT 1989

ENJEUX

La culture

**À VOIR
DANS LE CAHIER D'EXERCICES**

Expliquer :
l'importance relative des faits,
les liens de cause à effet,
les conditions de l'action,
un projet.
Rédiger :
un mode d'emploi.

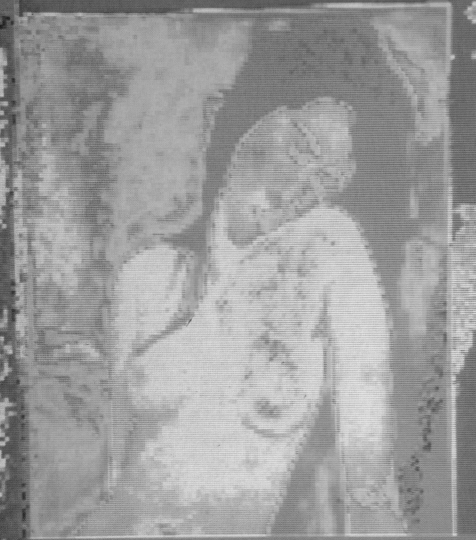

Le film du réalisateur français Jean-Paul Rappeneau, *Les Mariés de l'An II*, conte les amours passionnées et tumultueuses d'un couple sous la Révolution française. Passionnées et tumultueuses, c'est ainsi que l'on pourrait qualifier, aujourd'hui, les relations entre deux domaines qui n'ont apparemment rien de commun : la culture et la techno-économie. Notre époque voit se développer, simultanément, la culture savante traditionnelle et un ensemble de « divertissements » qui semblent plus proches de l'industrie que de l'art. « Consommateurs-caméléons », sommes-nous également devenus les « caméléons culturels » que décrit Pascal Bruckner et auxquels la télécommande transmet un savoir éclaté et une culture en miettes ?

CULTURE : VIVE LA MARIÉE ?

N'est-il pas étrange de crier à la mort de la culture au moment où celle-ci est vénérée des plus hauts cercles du pouvoir jusqu'aux plus petites communes de France et d'Europe ? Au moment où la diffusion de la recherche est assurée comme jamais, où, grâce notamment au disque compact, des millions de gens s'initient à la grande musique, où les musées, les expositions sont pris d'assaut ■, les conservatoires et les écoles de beaux-arts affichent complet, où le nombre de lecteurs, par rapport à ce qu'il était il y a cinquante ou cent ans, s'est accru considérablement ? Pour énoncer autre chose que des clichés, ne faudrait-il pas comparer la culture de masse d'aujourd'hui à la culture populaire d'hier et voir s'il y a une différence fondamentale entre l'almanach du XIXᵉ siècle et les « digests » ■ actuels ?

Au lieu de pleurer une agonie, ne devrait-on pas penser une mutation ? Le phénomène saisissant de notre époque, c'est l'expansion parallèle et de la grande culture et de l'industrie des loisirs. Comment n'être pas surpris de l'incohérence apparente d'un public qui s'entiche à la fois de Gauguin et de « La roue de la fortune* » ? qui regarde massivement *Dallas** et plébiscite Umberto Eco* ou Garcia Marquez* ? Peut-être sommes-nous tous devenus des caméléons culturels en qui les plus hautes exigences intellectuelles voisinent avec des zones de bêtise et de mauvais goût ? D'ailleurs, un monde sans kitsch ■ ne serait-il pas invivable ? Nous avons donc tort d'espérer ou de désespérer des lecteurs et des amateurs : il faut attendre d'eux contradictoirement le désastre et le miracle.

Pascal Bruckner*, *La Mélancolie démocratique*, éd. du Seuil, 1990.

S'INFORMER

1. Recherchez dans le texte tous les exemples qui prouvent la vitalité de la culture.

2. Comment se manifeste la « mutation » de la culture ?

3. Quels exemples l'auteur donne-t-il de « l'industrie des loisirs » ?

APPRÉCIER

4. Quelle est l'intention de l'auteur : informer objectivement, émettre une hypothèse, ouvrir une discussion, convaincre ses lecteurs ?

5. Quelle effet obtient-il par l'accumulation de propositions dans le premier paragraphe ?

ANALYSER COMPARER

6. Définissez, dans vos propres termes, un « caméléon culturel ».

7. Que répondez-vous aux questions du 2ᵉ paragraphe ?

LES ENFANTS DU ZAPPING*

Les nouveaux équipements culturels assurent aux pratiquants une autonomie de consommation de plus en plus grande. Qu'on songe à la multiplicité d'options dont dispose le téléspectateur câblé, pouvant choisir entre dix et vingt chaînes de télévision et les milliers de titres de cassettes vidéo disponibles pour son magnétoscope. La plus révolutionnaire des machines, c'est la télécommande, instrument et symbole de la liberté de programmation du NCC (Nouveau Consommateur Culturel), capable désormais de sauter à son gré d'une image à l'autre et de créer son propre programme en organisant son propre montage à travers les matériaux fournis par ses instruments.

L'importance de la télécommande n'est pas simplement technique, mais aussi idéologique : elle favorise et active cette dérive de la connaissance actuelle qui va naturellement vers le court, le bref, l'éclaté, le discontinu. C'est vrai des créations spécifiques de la modernité : le rock se fait clip*, le graffiti devient tag*, la chanson vire au rap*. Ce vocabulaire monosyllabique exprime clairement la volatilité de ces œuvres à court terme. Le long, le continu passent automatiquement au hachoir. Pour toute époque, vite, un *medley** ; pour tout auteur, vite, un *best of**. Le savoir tout entier est atteint par ce cancer de la prolifération par pilulage. Dans tous les secteurs, ce ne sont que dictionnaires, encyclopédies, catalogues, répertoires.

Pour répondre à un appétit renouvelé de connaissances ? C'est probable et c'est bien ainsi. Mais nul récit, nulle synthèse ne permettent de rien approfondir. Cette science en miettes, est-ce là vraiment connaître le monde ? Il en est du savoir comme de la musique ou des images : le zapping est roi. Pullulante et fragmentée, l'information devient à la fois envahissante et dérisoire. […]

Pierre Billard, *Le Point*, n° 1043, 12.9.1992.

REPÈRES

le zapping : action de changer de programme en utilisant une télécommande (zapper, un zappeur)

un clip : film court construit autour d'une chanson et qu'il sert à illustrer

un tag : mot ou dessin tracé sur un mur à l'aide d'une bombe de peinture ou d'un gros feutre

le rap : mouvement culturel d'origine afro-américaine, caractérisé par un langage, une musique syncopée, des textes scandés, un style de danse, une mode vestimentaire ; il s'est implanté en France, chez les jeunes issus de l'immigration africaine

un medley : (angl.) une compilation, une rétrospective des œuvres d'une période

un best of : (angl.) un recueil de morceaux choisis

S'INFORMER

1. Quels nouveaux équipements culturels sont cités dans ce document ?

2. En quoi la télécommande est-elle « instrument et symbole de la liberté de programmation » ?

3. Relevez les exemples qui illustrent l'influence de la télécommande sur l'art, le savoir, l'information.

APPRÉCIER

4. Montrez comment Pierre Billard fait, à travers le zapping, le procès du NCC, le « Nouveau Consommateur Culturel ».

ANALYSER COMPARER

5. En quoi l'appellation « Nouveau Consommateur Culturel » est-elle ironique et méprisante ?

6. Pouvez-vous citer d'autres « équipements culturels » nés de la technologie ?

7. Rapprochez la thèse de Pierre Billard de celle de Pascal Bruckner (voir p. 112) : quels sont les points communs, les différences ?

EXPLIQUER

8. Et vous, vous percevez-vous comme un « enfant du zapping » ? Expliquez pourquoi.

Lorsque la culture doit répondre à des impératifs de rentabilité économique et lorsqu'elle devient objet de spéculation, le danger est grand de la voir se transformer en vulgaire « objet de consommation ». Mais le spectateur, le lecteur ou l'amateur d'art restent libres de refuser ces nouvelles « règles du jeu »… et ils ne s'en privent pas !

CINÉMA : LA FICTION EUROPÉENNE

Christophe Colomb de Ridley Scott.
La scénariste et l'acteur principal sont français, le réalisateur est britannique, les seconds rôles sont espagnols, la reine d'Espagne, américaine, les dialogues sont en anglais et le film a été tourné au Costa Rica.

« Il n'y a pas et ne peut y avoir d'Européen moyen », disait Denis de Rougemont*. Pourrait-il y avoir un cinéma européen moyen, résultat d'un traité qui tendrait à la normalisation des productions et des thèmes (comme on le ferait pour les fromages) et au nivellement des genres ?

Malgré les systèmes totalitaires et les guerres, l'Europe voit toujours resurgir, vivace, l'identité de ses régions et de ses populations. Le respect de cette diversité, dont le cinéma, plus qu'aucun autre art, porte la marque, ne conduit pas à enfermer les minorités dans leurs particularismes. Mais comment mettre en commun des projets culturels tout en garantissant cette diversité ? La coproduction est aujourd'hui considérée comme la panacée.

Le cinéma étant aussi une industrie, on décide d'appliquer à la crise des solutions industrielles.

La coproduction de plusieurs pays pour la réalisation d'un film offre un intérêt certain. Elle permet de réunir des fonds plus importants et augmente les chances du film de s'imposer hors de ses frontières. À condition de pouvoir réaliser, avec des capitaux étrangers, des films authentiquement nationaux. Mais des obligations s'appuyant sur des principes de réciprocité, imposés par les producteurs, nuisent le plus souvent à la qualité des films. Et quand la coproduction financière entraîne obligatoirement la coproduction artistique, on peut redouter le pire.

Ainsi, dans toute coproduction européenne, les syndicats imposent que les participations soient attribuées selon une stricte règle proportionnelle : les postes de scénaristes, assistants, décorateurs, machinistes, techniciens, sont répartis entre les pays coproducteurs en fonction des apports financiers respectifs.

Le choix des acteurs ne repose plus sur leur talent ou leurs dispositions pour les rôles, mais sur leur nationalité. Le metteur en scène doit s'accommoder d'équipes de réalisation dont non seulement les langues mais les techniques sont différentes. Le producteur majoritaire peut imposer la langue, en général la sienne, ainsi que le lieu de tournage, parfois au détriment des exigences artistiques.

Le comble de l'absurde est atteint quand le scénario lui-même doit ménager les corporatismes et obéir à la règle des quotas : l'histoire doit avoir des ramifications cosmopolites pour justifier la présence d'acteurs étrangers, et les per-

REPÈRES

Denis de Rougemont :
écrivain et essayiste suisse

la tour de Babel : cette tour, citée dans la Bible, symbolise l'impossibilité de communiquer due à la diversité des langues et des cultures

Jean-Claude Carrière :
scénariste et romancier

sonnages doivent voyager à travers les différents pays pour justifier les décors et les seconds rôles imposés. Imbroglios qui transforment le cinéma européen en une tour de Babel*. [...]

Les contraintes auxquelles sont soumises les coproductions font le plus souvent de ces films des œuvres qui ne prennent racine dans aucune réalité sociale, culturelle ou artistique. Que l'argent ignore les frontières, c'est sa nature. Mais le brassage des capitaux ouvre des perspectives que le brassage des cultures ferme aussitôt. Car si la fortune est « anonyme et vagabonde », un film qui ne vient de nulle part ne va nulle part.

« C'est une règle d'or : pour qu'une histoire soit entendue par tous, il faut qu'elle soit dite par quelqu'un », écrit Jean-Claude Carrière*. Les spectateurs ne s'y trompent pas et les échecs se sont multipliés.

Norbert Multeau, *Le Spectacle du Monde*, n° 368, novembre 1992.

S'INFORMER

1. Relevez, dans cet article, tous les métiers liés au cinéma.

2. Quelles sont les deux formes de coproduction évoquées dans cet article ? À quelle préoccupation répond chacune d'elles ?

3. « Les échecs se sont multipliés » : recherchez dans le texte les causes de l'échec du cinéma européen.

APPRÉCIER

4. Norbert Multeau présente-t-il une information neutre sur le cinéma européen ? Donnez des exemples qui illustrent votre opinion.

ANALYSER COMPARER

5. Film « national à vocation internationale » ou film « international » : quels sont les arguments en faveur de chacune de ces deux conceptions ?

6. Une polémique s'est élevée au sujet des films sélectionnés pour la compétition des Césars (prix français du cinéma inspirés des « Oscars » américains) : certains jurés n'acceptaient que des films dont la langue est le français, d'autres affirmaient que la langue importe peu si le réalisateur et le sujet sont français, puisque les films sont doublés dans la langue du pays qui le projette. Qu'en pensez-vous ?

EXPLIQUER

7. Avez-vous vu un film « européen » selon la définition qu'en donne Norbert Multeau ? En quoi était-il européen dans sa distribution, sa conception, etc. ? Avez-vous aimé ce film ? Pourquoi ? A-t-il eu du succès dans votre pays ?

8. Pouvez-vous citer un film français qui a eu un grand succès dans votre pays ? Analysez les raisons de ce succès. *A contrario*, connaissez-vous un film français réputé que le public de votre pays n'a pas apprécié ? Pour quelles raisons ?

LITTÉRATURE : « ILS AVAIENT DES DOLLARS DANS LES YEUX »

Régine Deforges, auteur de la trilogie *La Bicyclette bleue* (six millions d'exemplaires vendus en France et deux millions d'exemplaires, traduits en vingt-deux langues, vendus à l'étranger) témoigne dans *Le Nouvel Observateur* :

« [...] Je n'oublierai jamais le Salon du Livre 85. Le troisième volume, *Et le diable en rit encore*, venait de sortir avec un premier tirage de 400 000 exemplaires épuisé en dix jours... J'arrivai au Salon, au début de l'après-midi, il n'y avait pas encore trop de monde. Et les regards de tous les éditeurs se sont posés sur moi ! Je vous jure que ce n'était pas facile, car ils me regardaient tous comme l'oncle Picsou ! Ils avaient des dollars à la place des yeux et une calculette dans la tête : combien d'exemplaires ? Combien cela coûte-t-il ? Combien cela lui rapporte-t-il ? Je sentais cette tension liée au fric, tellement violente, unanime. Physiquement insupportable ! »

Propos recueillis par Ruth Valentini, *Le Nouvel Observateur*, 15/21.4.1988.

S'INFORMER

1. Repérez les informations qui expliquent la réaction des éditeurs à l'arrivée de Régine Deforges.

2. Comment réagit l'auteur ?

3. Quelles sont, dans la description de Régine Deforges, les éléments qui font référence au dessin animé ou à la bande dessinée ?

INFORMER

4. Un éditeur, présent au Salon du Livre, écrit à un confrère pour lui décrire l'arrivée de Régine Deforges.

REPÈRES

Oncle Picsou : personnage de dessin animé, riche et avare

PEINTURE, THÉÂTRE, MUSIQUE : LES MUSES ET L'ARGENT

Werner Pommerehne, professeur d'économie politique, et auteur avec son collègue Bruno S. Frey d'un essai, Les Muses et le marché *(Julliard), analyse les rapports de l'art et de l'argent, ce « drôle de couple ».*

LE POINT. – **Vous contestez formellement une […] idée reçue : la rentabilité du placement en œuvres d'art.**

W. POMMEREHNE. – Nous ne sommes pas les premiers : les premières études sur cette question datent des années 70. Mais nous avons analysé un très large échantillon : 1 200 achats et reventes étalés sur 350 ans, de 1635 à 1987. Notre conclusion est que le placement en peintures rapporte en moyenne deux fois moins que les emprunts d'État* : en monnaie constante*, 1,5 % par an contre 3 %. […]

LE POINT. – **Vous déconseillez donc d'investir dans l'art ?**

W. POMMEREHNE. – Nous conseillons d'acheter des œuvres d'art pour le plaisir, et d'investir sur le marché mobilier ou immobilier.

LE POINT. – **Vous faites également une critique sévère de la gestion des institutions culturelles subventionnées par les pouvoirs publics.**

W. POMMEREHNE. – […] Bruno S. Frey et moi-même ne pensons pas que l'art doit être entièrement laissé au marché. Le marché a montré une très grande efficacité dans certains domaines comme les arts plastiques : ce sont les grands marchands Daniel Henry Kahnweiler à Paris et Leo Castelli à New York qui ont découvert et soutenu des artistes novateurs comme Picasso ou Rauschenberg*, dont l'establishment ▪ des musées ne voulait pas entendre parler. Mais le marché peut tuer l'innovation dans d'autres domaines. Un théâtre lyrique privé comme le Metropolitan Opera de New York, dont le budget est calculé sur un taux de remplissage* moyen de sa salle de 96 %, est condamné à ne programmer que des œuvres très connues et très aimées du public. […]
Le théâtre privé cherche aussi à économiser sur ses coûts de production, et cela donne parfois des résultats inattendus. Aux États-Unis, il est mainte-nant très courant de voir un seul acteur faire tous les petits rôles d'une pièce. On a calculé que le théâtre expérimental Traverse d'Édimbourg avait réduit le nombre moyen d'acteurs par pièce de 8,1 pendant la saison 1975-1976 à 4,3 pour 1980-1981.

LE POINT. – **En France, la tendance récente à afficher des pièces à un seul personnage a été interprétée comme une nouvelle mode esthétique.**

W. POMMEREHNE. – Selon le directeur de l'Aldwych Theatre, à Londres, c'est plutôt une politique économique délibérée. L'économiste Larry De Boer a montré en 1985 qu'aux États-Unis le même souci de rentabilité avait pu susciter le déclin de la musique swing jouée par les grands orchestres avant guerre, et l'avènement du rock, beaucoup moins gourmand en « main-d'œuvre » musicale. Aujourd'hui, les organisateurs de concerts classiques remplacent les programmes symphoniques par la musique de chambre. Le marché n'est donc pas neutre artistiquement.

Propos recueillis par Maryvonne de Saint-Pulgent,
Le Point, n° 918, 23.4.1990.

VOCABULAIRE

l'establishment : *(angl.)* les gens en place, qui occupent les postes de décision et sont attachés à l'ordre établi

REPÈRES

un emprunt d'État : un emprunt non spéculatif émis généralement sous forme d'obligations à taux fixe et garanti par l'État

en monnaie constante : en monnaie non dépréciée par l'inflation

Rauschenberg (Robert) : célèbre peintre américain initiateur du *pop art*

un taux de remplissage : pourcentage moyen de places vendues par rapport aux places disponibles

S'INFORMER

1. Repérez dans cette interview tous les exemples de l'influence de l'argent sur l'art : sur quels arts, dans quels pays, à quelles époques cette influence s'exerce-t-elle (ou s'est-elle exercée) ?
2. En quoi les arts plastiques constituent-ils un mauvais placement ?

ANALYSER COMPARER

3. Quelles sont, pour les artistes, les conséquences des tendances décrites par W. Pommerehne ?
4. Par quels moyens pourrait-on limiter l'influence de l'argent sur l'art ?

MARCHÉ DE L'ART : DES HAUTS... ET DES BAS

QUAND LE MARCHÉ DE L'ART FLAMBE.

Chez Sotheby's* : *Les Iris* de Van Gogh, 320 millions de francs le 12 novembre 1987. C'est le tableau le plus cher du monde, talonné par *Les Noces de Pierrette* de Picasso, adjugé 315 millions de francs le 30 novembre 1989 par Me Binoche à un acheteur japonnais.

Le Point, n° 913, 19.3.1990.

LE MARCHÉ DE L'ART EST EN CRISE, VIVE LA CRISE !

Vive la crise qui assainit le marché et assagit les folles enchères ! Tableaux, meubles, bibelots anciens retrouvent des prix plus raisonnables.

Mieux Vivre Votre Argent, n° 151, octobre 1992.

ANALYSER COMPARER

1. Quelles sont, à votre avis, les raisons qui provoquent l'envolée et l'effondrement des prix de certaines œuvres d'art ?

2. Les informations sur la crise du marché de l'art confirment-elles ou contredisent-elles l'analyse de Werner Pommerehne (voir p. 116) ?

CONVAINCRE

3. « L'œuvre d'art est-elle une marchandise ? ». Le directeur d'une galerie, un conservateur de musée, un peintre célèbre, un artiste encore inconnu, un commissaire-priseur, un critique d'art, un économiste et quelques « amateurs » s'affrontent sur ce thème. Jouez le débat.

REPÈRES

Sotheby's : célèbre commissaire-priseur anglais

À chaque nouvelle acquisition, le conservateur du Musée d'Art Contemporain, conservait longtemps l'étrange impression de s'être fait éscroquer...

L'ART AUX ENCHÈRES

Cette vente aux enchères présente l'originalité d'être consacrée aux jeunes peintres contemporains. Cette initiative locale permet à des créateurs inconnus de se faire connaître des amateurs et des professionnels de la peinture.

REPÈRES

l'expressionnisme : forme d'art qui met l'accent sur l'intensité de l'expression

l'art abstrait : forme d'art qui utilise la matière, la couleur et les lignes pour elles-mêmes

l'art figuratif : forme d'art qui s'attache à représenter les objets

Hôtel Drouot : principal hôtel des ventes de Paris, situé rue Drouot

l'heure de vérité : le moment décisif ; la formule évoque le nom d'une émission de télévision au cours de laquelle une personnalité invitée répond aux questions de journalistes

S'INFORMER REGARDER

Notez la construction de ce document pour illustrer le thème choisi :

1. Quel bâtiment vous est montré dès la première image ? Qu'y trouve-t-on ?

2. Qui est la personne interviewée ?

3. À quoi participent les gens à la fin de la séquence ?

4. D'après vous, quel public fréquente cet hôtel des ventes de province et quel type de peinture y est exposé ?

5. Comment sont présentées les œuvres ? Les acheteurs disposent-ils d'un catalogue ?

6. Observez les scènes de l'adjudication. Quels sentiments expriment les mimiques des participants ?

S'INFORMER ÉCOUTER

7. Quelles informations apprenez-vous à propos de cette vente : Qui en est à l'origine ? Quelle est sa particularité ? À quel prix sont vendues certaines œuvres ?

8. À quels obstacles se heurtent les jeunes peintres contemporains ?

9. D'après D. Stal, quels sont les rôles respectifs de l'expert, de l'hôtel des ventes, de la galerie d'art et du critique d'art ?

10. Sur quels critères D. Stal conseille-t-il aux amateurs d'acheter une œuvre d'art ?

ANALYSER COMPARER

11. Que veut dire D. Stal quand il estime que la vente aux enchères est pour l'artiste « l'heure de vérité » ?

INFORMER

12. Vous écrivez un article dans une revue d'art francophone pour rendre compte de ce reportage sur cette nouvelle forme de marché de l'art.

VIDEO 1

De tout temps, les créateurs ont eu besoin de l'aide des mécènes. Aujourd'hui, à côté de l'État – dont le rôle, toujours important, n'est plus prépondérant –, les entreprises et les villes ont pris le relais du mécénat culturel. Entre la culture et le marketing, c'est un mariage de raison aux fortunes diverses.

En 1991, en France :
Nombre d'entreprises mécènes :
   environ 1 000 (dont 60 % de PME)
Nombre d'actions de mécénat :
   1 800
Valeur estimée des actions :
   700 à 800 millions de francs
Source : ADMICAL (Association pour le développement du mécénat industriel et commercial).

MÉCÉNAT ? SPONSORING ? PARRAINAGE ?

La sémantique revêt parfois une certaine importance. L'enjeu, la stratégie, les montants alloués sont loin d'être les mêmes, selon que l'on emploie tel ou tel terme. Les décideurs et interlocuteurs varient également. [...] Le sponsoring, souvent assimilé à une technique de publicité, a pour objectif d'accroître rapidement la notoriété d'une marque ou d'un produit. On a coutume de l'utiliser pour les interventions dans le sport. Le mécénat, moins « vendeur », est un travail à plus long terme sur l'image d'une entreprise, laquelle affiche, par son engagement dans la culture ou des causes d'intérêt général, un humanisme et une certaine « citoyenneté ».

Quant au parrainage, l'UDA (Union des annonceurs), par commodité, l'utilise pour grouper les deux notions. [...] Reste que le sponsoring, communément utilisé dans le domaine sportif, est perçu par le public comme un mode de communication moderne et efficace qui allie utilité et générosité… des qualités déniées à l'image vieillotte du « mécène », « ce terme suranné, écrivait en 1982 Jacques Rigaud, qui évoque bien, comme une allégorie, l'hommage que la fortune rend au génie ».

Annick Cojean, *Le Monde Économie,* 5.1.1993.

S'INFORMER

1. Repérez dans le texte ce que signifient les termes « mécénat », « parrainage », « sponsoring ».
2. Pourquoi le mot « mécénat » est-il moins « vendeur » que le terme anglo-saxon « sponsoring » ?

**ANALYSER
COMPARER**

3. Pensez-vous que le mécénat est un « hommage que la fortune rend au génie » ? Justifiez votre opinion.

PARRAINAGE : L'ÂGE DE RAISON

POUR LA CULTURE, QUI RESTE L'UN DES PILIERS DU MÉCÉNAT, L'HEURE EST AU PROFESSIONNALISME.

Finie, l'époque du parrainage coup de cœur ou coup de bluff ▪. Banni, le « sponsoring » brouillon et papillon, improvisé, dispersé et instable. Interdit, le mécénat coup de folie, le mécénat panache. La crise est passée par là. Le parrainage serait-il devenu un luxe ? Disons qu'on le veut efficace et ciblé, logique et puis rentable. Chaque centime dépensé doit être justifiable. Et le gain obtenu doit être quantifiable, en tout cas vérifiable. […]

L'heure serait au professionnalisme, voire à la sophistication. Notamment dans les arts plastiques. Plus question d'acheter une œuvre pour la reproduire sur une carte de vœux ! On vise désormais plus haut, l'entreprise tendant à mettre désormais la création contemporaine au service de son marketing… ou l'inverse […]. Certaines sociétés, comme IBM* et Aérospatiale*, parrainent encore des expositions prestigieuses (Seurat* au Grand Palais* en 1991, Sisley* au musée d'Orsay* jusqu'au 31 janvier 1993). Mais d'autres n'hésitent pas à s'engager pour un partenariat ▪ à long terme avec le Louvre, fières, par exemple, de permettre un long et coûteux travail de restauration (celui des *Noces de Cana*, peintes par Véronèse*, a coûté à la firme ICI* la somme globale de 5 MF*, à laquelle il faudrait ajouter les 2 MF nécessaires au montage de l'exposition).

La musique, qui avait connu lors de l'année Mozart* un seuil jamais atteint, a perdu quelques-uns de ses alliés fidèles mais reste, localement, le premier pôle d'intervention des entreprises. Accessible et populaire, la photographie est, paraît-il, en hausse, tandis que la danse est franchement délaissée.

Un malaise pourtant se dessine, qui incite des entreprises à marquer une pause dans leur politique de mécénat culturel. Il s'appelle déception, amertume, rancœur. Il concerne… les médias. « Contrairement aux journalistes sportifs, les rédacteurs chargés de la culture ne jouent pas le jeu et répugnent à citer le nom d'un parrain ayant permis la réouverture d'un théâtre ou l'organisation d'une série de concerts », regrette un conseiller en communication. « C'est un manque d'élégance et de fair-play ▪. Les retombées médiatiques des opérations sont minables. » Prestigieuses, certaines actions voient désormais leur vocation réduite aux relations publiques. Ce que certains appellent le « mécénat-petits-fours ».

Annick Cojean, *Le Monde Économie*, 5.1.1993.

VOCABULAIRE

le bluff : (amér.) la vantardise
le fair-play : (angl.) le franc-jeu, le respect des règles du jeu
un partenariat : (ici) collaboration entre une entreprise et un organisme culturel

REPÈRES

IBM : géant américain de l'informatique
Aérospatiale : société française de l'industrie aéronautique et spatiale
Seurat : (1859-1891) peintre et dessinateur français
le Grand Palais : lieu où se déroulent les grandes expositions d'art à Paris
Sisley : (1839-1899) peintre impressionniste anglais
le musée d'Orsay : musée aménagé dans l'ancienne gare d'Orsay à Paris et consacré au XIXᵉ siècle
Véronèse : (1528-1588) peintre italien
ICI (Imperial Chimical Industry) : grand groupe britannique d'industrie chimique
MF : (abréviation) million de francs
l'année Mozart : 1991, année du 200ᵉ anniversaire de la mort du compositeur

S'INFORMER

1. Repérez dans l'article les arts concernés par le mécénat culturel.

2. Comment se traduit « l'âge de raison » pour le parrainage culturel ? À quoi Annick Cojean oppose-t-elle cette nouvelle époque du mécénat ?

3. Pour quelles raisons les entreprises limitent-elles les actions de mécénat ?

ANALYSER COMPARER

4. Expliquez les expressions : « le parrainage coup de cœur ou coup de bluff », « le sponsoring brouillon et papillon », « le mécénat coup de folie », « le mécénat panache », « le mécénat-petits-fours ».

5. Les entreprises reprochent aux médias leur réserve : à votre avis, un tel reproche est-il justifié ? Quel devrait être, selon vous, le rôle de la presse dans la promotion de la culture ?

CONVAINCRE

6. Vous faites partie du conseil d'administration d'un musée de votre ville. Vous voulez solliciter l'aide des entreprises locales pour organiser une exposition. Vous préparez en équipe un petit dossier pour expliquer votre démarche et convaincre les responsables, puis vous rédigez une lettre circulaire pour présenter votre projet.

UN ASSUREUR MÉCÈNE DE MONET

L e tableau peint à Giverny par Claude Monet* d'après un paysage ligure, *Les villas à Bordighera*, était inconnu du grand public. On peut aujourd'hui l'admirer au musée d'Orsay. Et cela n'a rien coûté à l'État… alors que le collectionneur privé qui s'en est défait en a tiré 24 millions de francs. Miracle ? Une loi de 1990 permet aux assureurs d'investir dans l'art (en visant la plus-value), tout en faisant profiter de leurs acquisitions les visiteurs des musées. Le GAN* sort donc l'argent nécessaire, mais laisse la toile en dépôt dans un musée pendant dix ans (renouvelables), conservant le droit d'organiser, trente jours par an, des visites privées pour ses clients et partenaires.

Il y a deux ans, c'est le groupe privé Axa* qui avait acquis le *Portrait d'Alfonso d'Avalos* de Titien*, aujourd'hui au Louvre.

Le Point, n° 1058, 24.12.1992.

LES CARTES DE CRÉDIT AU SECOURS DES MONUMENTS FRANÇAIS

E n France, American Express*, après avoir collaboré à la rénovation du Mont-Saint-Michel* et de l'Arc de triomphe*, vient de financer la réhabilitation de la chartreuse de Villeneuve-lès-Avignon. Un partenariat très qualitatif qui permet à ce haut lieu de l'histoire religieuse de revivre sous forme de centre de création culturelle.

La Tribune de l'Expansion, 2.7.1992.

REPÈRES

Claude Monet : (1840-1926) peintre et dessinateur français ; un des maîtres de l'école impressionniste

le GAN : le Groupement des assurances nationales, important groupe d'assurances

AXA : grand groupe d'assurances

Titien : (1490-1576) peintre vénitien

American Express : un des inventeurs de la carte de crédit

le Mont-Saint-Michel : voir p. 90

l'Arc de triomphe : monument situé place de l'Étoile Charles-de-Gaulle, en haut des Champs-Élysées, à Paris

CULTURE : LES VILLES SE REBIFFENT

DEPUIS DIX ANS, LES VILLES FRANÇAISES SONT DEVENUES LES PREMIERS MÉCÈNES DE LA CULTURE.

V oilà vingt ans à peine, la province faisait encore figure de désert culturel. Et l'État portait à bout de bras la décentralisation théâtrale et les maisons de la culture* face à des élus locaux méfiants ou hostiles. […] [Aujourd'hui] l'État central n'est plus le seul protecteur des artistes et de la création. « Les maires, surtout ceux du sud de la France, renouent avec la vieille tradition des proconsuls romains, remarque André-Marc Delocque-Fourcaud, secrétaire général du Centre national des lettres. La province rivalise avec Paris comme les arcs de triomphe et les arènes construits en Gaule* surenchérissaient sur ceux de Rome. »

Pour Claude Mollard, ancien conseiller de Jack Lang*, « les villes retrouvent, à la veille de 1993, la fonction de grands pôles culturels qu'elles occupaient dans l'Europe du Moyen Âge. Et Lyon*, Marseille* ou Bordeaux* ont encore beaucoup de retard sur le rayonnement de Barcelone, Milan ou Francfort ». La dynamique semble irréversible. […]

Un ambassadeur pour séduire des investisseurs

Cette spectaculaire victoire est-elle bien celle de la culture ? En se généralisant, le mécénat politique n'a-t-il pas subrepticement changé de nature ? « Il y a chez beaucoup d'élus un grave dérapage, déplore Martial Gabillard, adjoint d'Edmond Hervé à la mairie de Rennes*. La culture s'est banalisée, instrumentalisée, elle n'est plus un facteur d'épanouissement pour les individus et les groupes, mais un outil pour promouvoir l'image de la ville, attirer des entreprises. » […]

Les spécialistes de l'ingénierie culturelle* refont la carte de France

Directes ou indirectes, les espérances de retombées

S'INFORMER

1. Inventoriez les actions de mécénat décrites dans ces deux articles.

ANALYSER COMPARER

2. À quel type de mécénat (« coup de cœur », « coup de bluff », « professionnel », « petits-fours ») appartiennent ces actions ?

3. En quoi la loi de 1990 est-elle de nature à favoriser le mécénat ?

INFORMER

4. Les entreprises de votre pays aident-elles la culture ? Si oui, sous quelle forme ? Si non, pourquoi ?

J'avais quelques heures devant moi.
La ville la plus proche s'appelait Cognac.

EMOTIONS, SENSATIONS, FRISSONS, C'EST LE FESTIVAL DE COGNAC.

Professionnels, journalistes, acteurs, le Festival du Thriller
vous attend du 2 au 5 avril 1992, à Cognac.

économiques sont suffisantes pour que les municipalités fassent massivement appel à des cabinets de consultants ou d'ingénierie culturelle.

En quittant la rue de Valois*, Claude Mollard a créé ABCD, une de ces agences qui inventent « l'image culturelle » d'une ville comme d'autres font la carrière d'une lessive ou le marketing d'un homme politique. « Les villes moyennes ont besoin d'une identité, plaide-t-il. Elles ne l'obtiendront qu'en se spécialisant dans un domaine culturel. Arles*, c'est la photo ; Montpellier*, la musique et la danse ; Nîmes*, les arts plastiques ; Avignon,* le théâtre ; Angoulême*, la

BD*, et Bourges*, la chanson. » Claude Wolton, qui a monté un département d'ingénierie culturelle au sein de l'agence de publicité RSCG, partage la même analyse : « La spécialisation est inévitable. D'abord, parce que les petites villes n'ont pas les budgets des grandes. Ensuite, parce que le marché local de la culture est devenu très concurrentiel : deux villes ne peuvent pas faire vivre des festivals identiques. Surtout quand elles sont proches géographiquement. »

Ces ingénieurs de la culture rendent ainsi un réel service aux maires : celui de mettre fin à l'inflation démesurée des budgets culturels. Une inflation analysée, il y a quelques années, par deux sociologues, Ehrard Friedberg et Philippe Urfalino, dans un astucieux petit essai, *La Politique du catalogue*. Par manque de légitimité culturelle, l'élu ne peut rien opposer aux demandes budgétaires annuelles du théâtre, du musée, de la bibliothèque, des orchestres ou des associations. S'il refuse d'augmenter la manne, il est accusé d'arbitraire antidémocratique. Qu'il s'abrite derrière le jugement du public, et le voilà taxé de comportement démagogique. [...]

Le difficile mariage entre logique politique et exigence artistique

La révolution culturelle des villes est encore bien jeune, et il n'est pas si loin le temps où l'État central, si vanté aujourd'hui, reprochait aux milieux culturels de manier « la sébile et le cocktail Molotov ». « Chacun cherche encore ses marques, reconnaît François Geindre, qui, outre son mandat à Hérouville, est res-

ponsable national de la culture au PS*. Le dialogue entre artistes et élus doit déboucher sur des contrats clairs qui laissent aux uns le soin de prendre les risques esthétiques et aux autres le droit de définir les objectifs en termes d'utilité sociale. » « D'accord, répond Jacques Blanc. Sauf s'il s'agit de fabriquer du consensus à coups de divertissements. La culture doit rester un espace de confrontation, un lieu d'interrogation de la cité. »

Jean-François Lacan, *Le Point*, n° 1038, 8.8.1992.

REPÈRES

une maison de la culture : dans une ville, centre culturel subventionné par l'État et les collectivités locales

la Gaule : nom donné par les Romains à deux régions occupées par les Celtes et dont une partie correspond aux limites actuelles de la France

Jack Lang : ministre de la Culture sous les différents gouvernements socialistes

Lyon : deuxième ville française, sur le Rhône (région Rhône-Alpes)

Marseille : premier port français, sur la Méditerranée (région Provence-Alpes-Côte d'Azur, voir p. 132)

Bordeaux : port sur la Gironde (région Aquitaine)

Rennes : ville de Bretagne, voir p. 104

l'ingénierie culturelle : l'étude et la coordination d'un projet culturel sur les plans économique, technique, social, esthétique, etc.

rue de Valois : surnom du ministère de la Culture, situé dans cette rue de Paris

Arles et Avignon : villes de la région Provence-Alpes-Côte d'Azur (voir p. 132)

Montpellier et Nîmes : villes de la région Languedoc-Roussillon

Angoulême : ville de la région Poitou-Charentes

la BD : abréviation familière de « bande dessinée »

Bourges : ville de la région Centre

le PS : *(abrév.)* Parti socialiste

S'INFORMER

1. Identifiez toutes les personnalités citées dans ce texte.

2. Analysez les idées développées dans cet article en notant qui s'exprime, l'idée principale et les exemples cités.

3. Quels sont les partenaires concernés par la culture ? Précisez pour chacun d'eux les problèmes rencontrés.

APPRÉCIER

4. Étudiez la construction de cet article. Les procédés utilisés contribuent-ils à fournir une information complète ou partielle ? Sous une forme vivante ou austère ?

ANALYSER COMPARER

5. Que signifie l'expression : « manier la sébile et le cocktail Molotov » ?

6. « La culture doit rester un espace de confrontation » : que pensez-vous de cette affirmation ? Quels exemples pouvez-vous citer à l'appui de votre opinion ?

INFORMER

7. Présentez les rapports entre l'État, les villes et la culture dans votre pays ? Constatez-vous des points communs avec les relations décrites pour la France ? Quelles sont les différences? Comment les expliquer ?

CONVAINCRE

8. Débat : vous êtes conseiller municipal de votre ville et vous voulez convaincre vos collègues de l'importance d'organiser une série de manifestations culturelles sur un thème donné. Vous présentez vos idées lors d'une réunion du conseil. Jouez la scène.

AUDIO 1

L'ÉTOILE DE LA COURNEUVE

« Synergie », émission de France-Inter, s'intéresse à l'action de Jean-Pierre Roux, directeur de la salle de cinéma « L'Étoile » à La Courneuve, commune populaire de la banlieue parisienne.

ÉCOUTER

1. Notez le ton des deux interlocuteurs et caractérisez leur échange : s'agit-il d'un entretien formel, d'une conversation ordinaire ?

2. Quelles remarques pouvez-vous faire sur la forme du discours de l'invité du journaliste ?

S'INFORMER

3. Quelle est la particularité du nouveau cinéma dont il est question ici (nom, emplacement, contexte, financement...) ?

4. Qu'est-il arrivé aux salles de cinéma françaises à partir de 1970 ?

5. Relevez les effets favorables et les effets défavorables entraînés par la création des « complexes » ou « salles multiples ».

6. Dans la deuxième partie de l'émission, J.-P. Roux met en parallèle le cinéma « tout public » et le cinéma « indépendant » : comment les différencie-t-il ?

7. Quelle doit être la politique de programmation d'une salle de cinéma financée par des fonds publics selon J.-P. Roux ?

ANALYSER COMPARER

8. Lorsque J.-P. Roux compare le cinéma privé et le cinéma public, le film commercial et le film d'auteur, son opinion vous paraît-elle nuancée ou manichéenne, objective ou partiale ?

9. Comment, d'après vous, s'explique la forte diminution de la fréquentation des salles de cinéma ? La situation est-elle comparable dans votre pays ?

REPÈRES

le Théâtre de la Commune : théâtre subventionné par la ville d'Aubervilliers, dans la banlieue nord de Paris

• • • • • •

SYNTHÈSE

Présentez un compte rendu écrit des documents illustrant le thème : « Culture et marketing : un mariage de raison. »

• • • • • •

Le développement de l'informatique a donné lieu à de nombreuses applications hors de la sphère technique. Différents exemples illustrent son alliance avec la culture. L'ordinateur ne se contente pas d'être un prodigieux outil de mémorisation, il concurrence le réel par des images de synthèse ; il est en passe de révolutionner le concept même de « livre » et tente de se mesurer à l'intelligence humaine dont il apprend à reproduire certains modes de raisonnement.

BIBLIOTHÈQUE DE FRANCE : DES BOÎTES À CHAUSSURES À L'ORDINATEUR

Le programme informatique de la Bibliothèque de France (BF) est chargé : il permettra aux chercheurs, dès 1995, de recevoir, en temps réel, sur leur ordinateur – appelé « PLAO », pour « poste de lecture assistée par ordinateur » – des milliers de pages de textes provenant, d'abord du fonds propre de la BF, et, quelques années plus tard, de plusieurs grandes bibliothèques mondiales. Des logiciels spécialement adaptés aux besoins des chercheurs, bouleverseront totalement ce que l'on appelle la « lecture savante ».

Or, cette transformation repose en grande partie sur un travail préliminaire colossal confié, lui, à la Bibliothèque nationale (BN), que dirige le célèbre historien Emmanuel Le Roy Ladurie, ancien membre de la mission à l'Innovation : le programme Opale, ou la saisie sur ordinateur des quelque quatre millions de notices concernant les livres et les périodiques – depuis François Ier*. Pas de gros problèmes pour les vingt ou trente dernières années : 1 200 000 notices sont déjà enregistrées. Mais pour les autres ! Que l'on imagine des millions de fiches, souvent de la taille d'une carte à jouer, entassées dans plus de mille cartons type boîtes à chaussures, rédigées avec des formats, des écritures et des styles disparates.

VOCABULAIRE

costaud : *(fam.)* solide, fort

REPÈRES

François Ier : (1494-1547) roi de France
la rue de Richelieu : rue de Paris où est située la Bibliothèque nationale
le Minitel : voir p. 47

S'INFORMER

1. Relevez tous les avantages que présente le programme Opale pour les chercheurs.
2. Quelles informations montrent l'ampleur et la complexité du problème traité ?

ANALYSER COMPARER

3. Reconstituez la liste des questions qui ont permis au journaliste du *Point* de recueillir les informations contenues dans cet article.

EXPLIQUER

4. Si vous avez eu l'occasion de travailler dans une importante bibliothèque de votre pays, expliquez la procédure utilisée pour la consultation des documents.

CONVAINCRE

5. La direction de la BN veut présenter aux chercheurs étrangers le nouveau système Opale. Elle vous demande de préparer une lettre pour inciter ces chercheurs à s'adresser désormais à la BN. Vous expliquez les avantages du nouveau système et demandez à vos lecteurs d'exprimer leurs besoins et leur avis.

La BN a confié ce programme de saisie à plusieurs sociétés spécialisées, en province. Chaque jour, de précieux cartons, véritable mémoire de la BN, quittent la rue de Richelieu*. « Nous serons prêts pour la fin 1994, affirme Le Roy Ladurie. Et les jeunes chercheurs pourront alors – ce que moi, je n'ai jamais pu faire – avoir accès à des millions de documents qui ont franchi les siècles dans un anonymat presque complet : fouiller dans ces boîtes, à la main, était impossible. Nous en apprendrons, des choses ! » Une partie de ce fichier sera d'ailleurs disponible dès la fin de 1993 à la BN, où le système informatique est déjà

très costaud ▪ : dans un an, il sera possible de faire une première recherche bibliographique chez soi à partir de son Minitel*, de réserver les ouvrages choisis et de retenir sa place.

Le Point n° 1045, 26.9.1992.

LE LIVRE DU TROISIÈME TYPE

Le CD-I (Compact-Disc Interactif) permet de stocker sur un disque du texte, des images et des sons. « Il ne s'agit plus de suivre ligne à ligne le déroulement d'un texte, mais de déambuler de façon ludique, participative, intuitive et personnalisée au travers des chemins de la connaissance. »

Question. – L'édition électronique propose un mode de lecture radicalement différent. Cela signifie-t-il qu'une génération de lecteurs radicalement différents va apparaître ?

MARC MENAHEM*. – Il s'agit d'une évolution, non d'une mutation ! D'autant que l'édition électronique se présente comme un complément stimulant de l'édition traditionnelle. [...] Mais, c'est évident, des fonctions comme l'interactivité vont modifier les habitudes de lecture et d'écriture. La lecture n'est plus universelle, mais personnalisée. Par exemple, un manuel d'économie proposera sur le même disque tous les niveaux de compréhension. À chacun de faire son menu. De la même façon, la lecture n'est plus linéaire mais mobile : à chaque moment vous pouvez changer de registre, de recherche, puis revenir au point de départ. Autres changements : le lecteur devient également auteur à travers ses choix, en fonction de ses besoins. Et le support informatique offre la possiblité d'enrichir le texte, de le communiquer ou de le consulter à plusieurs. La lecture ou l'écriture ne sont plus des activités solitaires. [...]

Question. – Quelles sont les limites d'un tel changement ?

MARC MENAHEM. – Elles ne sont pas techniques mais culturelles. [...] Et l'enjeu est d'importance car les Américains et les Japonais, très en avance, risquent d'inonder le marché au détriment de créations françaises si les éditeurs qui disposent d'un fonds fabuleux et d'un savoir-faire sans équivalent ne sortent pas du bois.

Lire, octobre 1992.

* Éditeur chez Hatier.

S'INFORMER	ANALYSER COMPARER	4. Pensez-vous que le roman se prête à la transposition sur CD-I ? Pourquoi ?
1. « Il s'agit d'une évolution, pas d'une mutation » : relevez dans l'interview les arguments en faveur de cette thèse.	**3.** Comparez le « livre papier » et le « livre électronique » : quelles applications voyez-vous pour le livre électronique ? Pour quels types d'ouvrages ? Dans quelles conditions d'utilisation ?	**INFORMER** **5.** Vous rédigez un résumé de cette interview pour un magazine francophone de votre pays.
2. D'après Marc Menahem, quels dangers menacent l'édition électronique française ?		

IMAGES DE SYNTHÈSE :
LE RÉEL RECOMPOSÉ

Cette voiture, gros œuf rouge au capot vitré futuriste, n'existe pas, ou pas encore. Et pourtant la voici, héroïne d'un film, en train de traverser un village de Provence* puis un ruisseau, creusant un sillage où se reflètent les nuages. *Racoon* – c'est son nom de code – est une voiture de synthèse, fruit des ordinateurs du département design* de Renault*. Le village et le ruisseau, eux, sont bien réels, filmés par des caméras. Ce mélange parfait du décor et de la voiture dans une image composite animée est un des premiers résultats concrets du projet européen Synthétic TV, auquel participe l'Institut national de l'audiovisuel (INA). [...]

Présenté hors compétition lors de la douzième édition d'Imagina, le rassemblement annuel de l'image de synthèse, ce film épouse quelques tendances actuelles du secteur : le métissage des images (chimique avec le film, électronique en vidéo ou calculée par ordinateur) est mis au service d'un « rendu » réaliste et d'applications concrètes dans des domaines toujours plus variés. Car *Racoon* et ses acolytes n'ont pas que des visées esthétiques. Ils évitent de multiplier les maquettes à grande échelle, raccourcissent donc les temps de sortie de nouveaux modèles, dans une industrie automobile où la rapidité d'adaptation est une question de survie.

La même préoccupation se retrouve dans l'industrie du rêve, le cinéma ou la télévision. Pour accélérer la production de dessins animés, on fait appel à des... acteurs, dont les mouvements sont analysés, et reproduits sous les traits d'un personnage dessiné. Les capacités de calcul sont désormais telles que le visage d'un « vacteur », ou acteur virtuel, comme les nomme Steve Glenn, de la société Simgraphics, peut être animé en temps réel. Il devient donc possible de dialoguer, face à un téléviseur, avec n'importe quel héros dessiné. Le principe n'est pas éloigné des figurants costumés qui amusent les enfants pendant le carnaval. Mais l'effet surprend, notamment parce que, détachés des lois physiques dans leur territoire visuel, ces « vacteurs » de synthèse peuvent subir toutes les déformations possibles. [...]

Les laboratoires japonais de NTT (Nippon Telegraph and Telephone) travaillent sur la reconnaissance des gestes naturels. Dans une pièce équipée de caméras, il suffit de montrer de l'index un morceau de l'écran géant situé à quelques mètres, puis de lever le pouce, pour déclencher une action (comme la commande d'un magnétoscope, etc.). Le même index peut « dessiner dans l'espace » des traits qui s'inscriront à l'écran. D'autres systèmes analysent le regard face à l'écran ; avec la commande vocale déjà bien connue, on peut dire que l'image commence à obéir à la voix, au doigt et à l'œil...

Michel Colonna d'Istria,
Le Monde, 24.2.1993.

REPÈRES

la Provence : voir « Région Provence-Alpes-Côte d'Azur », p. 132
le design : *(angl.)* l'esthétique industrielle
Renault : premier constructeur français d'automobiles

S'INFORMER

1. Quelles sont les applications de l'image de synthèse citées dans cet article ?

ANALYSER COMPARER

2. Quel est l'intérêt de ces recherches (pour le consommateur, pour les industriels) ?

3. Dans quels autres domaines l'image de synthèse peut-elle être utilisée ?

4. Que pensez-vous de ces nouvelles techniques : simples « gadgets » ou « révolution culturelle » comme l'affirment certains ?

QUAND LA SCIENCE COPIE L'INTELLIGENCE HUMAINE

Le terme d'intelligence artificielle (IA) peut être pris dans un sens large ou restrictif. Prise dans son sens le plus étroit, l'IA désigne la discipline qui se donne pour but d'accroître la capacité des machines à accomplir des performances que l'on considérerait comme marque d'intelligence si elles étaient le fait d'êtres humains. Son objectif étant de concevoir des machines, on pourrait dire qu'elle est une branche avancée de l'ingénierie. Seulement, pour mettre au point de telles machines, il faut d'ordinaire réfléchir non seulement sur la nature des machines, mais encore sur la nature des fonctions intelligentes que l'on veut lui voir remplir. Par exemple, pour créer une machine qui peut recevoir des instructions en langage clair, il faut procéder à des études très poussées sur le langage lui-même. Pour créer une machine capable d'apprendre, il nous faut approfondir au maximum notre connaissance de l'acte d'apprendre. Et c'est dans ce genre de recherches qu'il faut voir la plus large définition de l'intelligence artificielle : il s'agit en fait d'une science cognitive, une science qui s'intéresse aux sources du savoir. Prise dans ce sens, l'IA a partie liée avec d'autres disciplines, comme la linguistique et la psychologie. Mais elle s'en distingue en ce que sa méthodologie et son style de théorie sont fortement imprégnés des théories de l'informatique.

Saymour Papert, *Jaillissement de l'esprit*, Flammarion, 1981.

S'INFORMER

1. Quelle définition Saymour Papert donne-t-il de l'intelligence artificielle ?

2. Quels types de machines conçoit-elle ?

3. L'intelligence artificielle est une science « cognitive » : quels exemples l'auteur donne-t-il pour illustrer cette dimension de l'IA ?

4. À quelles autres disciplines l'intelligence artificielle est-elle liée ?

INFORMER

5. Dans votre activité professionnelle ou dans votre vie quotidienne, avez-vous déjà eu l'occasion d'utiliser une « machine intelligente » ?

L'INTELLIGENCE ARTIFICIELLE

L'intelligence artificielle est déjà utilisée dans l'armée et l'industrie ; les « systèmes experts », l'une de ses principales applications, font leur entrée dans les banques pour faciliter les choix et accélérer la prise de décision. Mais l'avenir est à des programmes encore plus complexes qui permettront au simple usager de communiquer avec son ordinateur ou son Minitel en utilisant le langage de tous les jours.

VIDEO 2

**S'INFORMER
REGARDER**

Observez la construction de ce document pour illustrer le thème choisi ici :

1. Que voyez-vous dès les premières images ?

2. À quoi sont occupés les deux automobilistes ?

3. Que montrent successivement les autres images ?

4. Quels sont les domaines d'application évoqués ici ?

5. Sur l'écran du Minitel, on voit des textes formulés en « langage naturel », langage qui, par le dialogue qu'il permet entre l'homme et la machine, est une application importante de l'intelligence artificielle. Quels sont ces textes ? À quels services proposés par le Minitel font-ils allusion ?

**S'INFORMER
ÉCOUTER**

6. Quelle est la définition de l'intelligence artificielle donnée dans cette séquence ?

**ANALYSER
COMPARER**

7. La séquence montrée ne présente que les avantages de l'intelligence artificielle. À l'aide de l'article précédent « Quand la science copie l'intelligence humaine », essayez de préciser les raisons qui limitent son emploi et les conditions de sa réussite.

8. Comparez la définition proposée dans ce document avec celle donnée par S. Papert dans l'article « Quand la science copie l'intelligence humaine » (voir ci-dessus).

9. Pourquoi est-il important de pouvoir utiliser le « langage naturel » pour communiquer avec la machine ?

10. Trouvez dans votre vie quotidienne ou votre vie professionnelle des applications possibles à l'intelligence artificielle. Vous pouvez relire le texte « Les sentinelles » (voir p. 28).

EXPLIQUER

11. Sur le modèle de l'exemple « itinéraire de voiture », trouvez une autre application : le mode d'emploi d'un appareil ménager, le dépannage d'une voiture, des consignes de sécurité pour la maison, etc., et rédigez des consignes destinées, d'une part à un simple ordinateur, d'autre part à un robot doué d'intelligence artificielle. Testez vos consignes auprès d'un autre groupe d'étudiants.

À côté des lieux traditionnels du tourisme culturel, des lieux nouveaux – usines, parcs scientifiques et autres « cités des sciences et des techniques » – attirent des visiteurs toujours plus nombreux. La technologie tend ainsi à devenir l'une des manifestations modernes de la culture.

LE BOOM* DES VACANCES À L'USINE

IL N'Y A PAS QUE LES VIEILLES PIERRES ET LA PLAGE POUR REMPLIR LE MOIS D'AOÛT. CERTAINS SE DÉLECTENT À VISITER DES CENTRALES NUCLÉAIRES, DES BRASSERIES OU DES HAUTS FOURNEAUX.

Tourisme en *Alsace*

Assistez à la fabrication d'*ORANGINA*

en visitant l'usine d'embouteillage de Fegersheim

visites : lundi, mardi, mercredi, jeudi
sur rendez-vous

Téléphonez au **88 64 18 55**

ORANGINA France
RN 83
67640 FEGERSHEIM

ORANGINA
à la pulpe d'orange

Des centrales nucléaires aux chaînes de montage d'Airbus* en passant par toutes sortes d'entreprises artisanales, ils sont quelque dix millions chaque année à consacrer quelques heures de leurs vacances à des visites d'usines.

Pratiqué depuis de longues années en Allemagne, où nombre d'industriels ont eu le souci, dès le lendemain de la Seconde Guerre mondiale, de restaurer leur image de marque auprès de l'opinion publique, le tourisme industriel commence seulement à décoller en France. Aujourd'hui, ce sont 4 000 sociétés qui sont ainsi ouvertes au public, représentant quelque 10 % des entreprises.

En tête du hit-parade* du tourisme industriel, EDF* avec près d'un million de visiteurs, dont 600 000 pour les barrages hydro-électriques et 350 000 pour les centrales nucléaires. L'usine marémotrice de la Rance*, sur la côte nord de la Bretagne, accueille à elle seule 350 à 400 000 visiteurs par an. […]

Après EDF, ce sont les entreprises de l'agro-alimentaire qui séduisent le plus grand nombre de touristes : 400 000 personnes par an visitent les brasseries Kronenbourg*, 300 000 la Bénédictine* à Fécamp* et 175 000 les caves de Roquefort*. Depuis l'an dernier, le groupe Pernod-Ricard* ouvre au public ses 19 sites de fabrication, où 250 000 visiteurs ont pu se familiariser avec les techniques de fabrication de jus de fruits ou de très vieilles eaux-de-vie.

Selon des études récentes, le tourisme industriel n'en est toutefois qu'à ses premiers balbutiements. Un sondage IFOP* mené en 1990 pour le ministère du Tourisme indique que 73 % des Français souhaiteraient, s'ils en avaient l'occasion, visiter des entreprises. Une autre enquête auprès des entreprises ouvertes au public montre que plus de la moitié d'entre elles désirent développer cette activité, l'objectif étant, pour 80 % des industriels interrogés, de mettre en valeur l'image de marque de leur société.

Parallèlement aux visites d'entreprises, c'est l'ensemble du tourisme technique et scientifique qui se développe en France. Les vieilles usines ne sont pas toujours vouées à la casse. Ainsi, un haut fourneau de l'usine Lorfonte d'Uckange (Moselle), qui avait arrêté son activité en 1991, a été placé récemment en instance de classement* par la Commission nationale des monuments historiques. En attendant de s'intégrer à un projet de tourisme industriel qui témoignera de ce que fut la sidérurgie lorraine.

Les régions ont multiplié également les écomusées* ou les circuits mettant en valeur les traditions industrielles ou artisanales. Ainsi le comité du tourisme de Seine-Maritime propose une « route du verre » : à travers la vallée de la Bresle, dans le pays de Caux*, ce circuit permet de découvrir un savoir-faire ancestral qui se perpétue aujourd'hui avec la fabrication de flacons et de bouchons pour les noms les plus prestigieux de la parfumerie française.

Le Quotidien de Paris, 15/16.8.1992.

- 67 % des Français ont déjà visité un site industriel contre 57 % un musée national.
- 4 000 à 5 000 sociétés françaises (1 sur 10) ont reçu au moins une fois des visiteurs.
- 1 500 entreprises ouvrent régulièrement leurs portes (soit 3 % des sociétés françaises contre 80 % aux États-Unis et au Japon et 70 % en Allemagne).

Enjeux-Les Échos, mai 1992.

VOCABULAIRE

le boom : *(angl.)* le développement très rapide
un hit-parade : *(angl.)* un palmarès

REPÈRES

Airbus : avion européen dont les chaînes de montage se trouvent à Toulouse (voir p. 31)
EDF : Électricité de France produit et distribue l'électricité
l'usine marémotrice de

la Rance : construite en 1961 en Bretagne, cette usine produit de l'énergie électrique à partir du mouvement des marées
Kronenbourg : producteur de bière
la Bénédictine : marque de liqueur
Fécamp : ville de Normandie
Roquefort : commune de l'Aveyron où est fabriqué le célèbre fromage de brebis du même nom

Pernod-Ricard : producteur de boissons dont le pastis
l'IFOP : institut de sondages
le classement : un bâtiment classé « monument historique » est protégé et entretenu par l'État
un écomusée : un musée, souvent de plein air, où sont reconstitués l'habitat et les conditions de vie du passé
le pays de Caux : plateau crayeux de Normandie

POUR UNE ETHNOLOGIE DES ENTREPRISES

S i l'objectif est de comprendre l'empreinte et le retentissement de la technique dans la culture, pourquoi s'en tenir aux roues à aubes et aux techniques obsolètes ▪ ? Après les encyclopédistes*, pour réévaluer le fait technique, il faut franchir les portes des entreprises en activité, y conduire des chantiers de recherche en histoire et en ethnologie, en mettre les résultats à la disposition des publics, inviter des artistes, ouvrir les portes aux touristes, permettre aux enfants d'y découvrir, *in situ* et en vraie grandeur, le travail, les matières, le bruit, la saleté, la dureté, la fierté, les lois économiques et les lois physiques.

Philippe Mairot, *Libération*, 20/21.2.1993.

VOCABULAIRE

obsolète : périmé

REPÈRES

les encyclopédistes : les savants, philosophes et spécialistes qui ont rédigé l'*Encyclopédie* (1751-1772) sous l'impulsion de Diderot et d'Alembert

S'INFORMER

1. Quel est, d'après ces deux articles, l'objectif culturel du « tourisme à l'usine » ?

2. Classez les différentes informations concernant ce phénomène dans le tableau suivant :

Entreprises visitées	Activité	Région	Nombre de visiteurs	Thème visite

3. Pourquoi les entreprises ouvrent-elles leurs portes aux touristes ?

4. Quel rôle jouent les régions dans le tourisme à l'usine ?

ANALYSER COMPARER

5. Quelle démarche P. Mairot propose-t-il pour faire comprendre au public l'importance de la technique ?

6. Quelles sont les fonctions culturelles des entreprises ?

7. Quelles sont, d'après vous, les raisons qui poussent les vacanciers à visiter des usines et des lieux industriels ?

8. Le tourisme à l'usine s'est-il développé dans votre pays ? Pourquoi ?

INFORMER

9. Vous êtes chargé(e) de préparer un circuit de visites industrielles dans votre ville ou dans votre région : quel thème, quelles entreprises choisissez-vous ? Comment faites-vous connaître ce circuit ? Comment l'organisez-vous ?

SOPHIA-ANTIPOLIS : CHRONIQUE D'UNE RÉUSSITE

Toute aventure exige un acte fondateur. Pour celle de Sophia-Antipolis – du grec *sophia*, sagesse et *antipolis*, le nom ancien d'Antibes signifiant la « ville d'en face », mais pouvant être traduit par « l'anti-ville » –, ce fut la naissance officielle, au cœur de l'été 1969, d'une association sans but lucratif qui avait pour objet de créer, dans les Alpes-Maritimes*, une Cité internationale de la sagesse, des sciences et des techniques. En bref, une idée et une garrigue. L'idée défendue, dès 1960, par Pierre Laffitte*, était de faire cohabiter enseignants, chercheurs et industriels en un même lieu « exceptionnellement favorable à la créativité scientifique et au transfert technologique ». [...]

UNE RÉUSSITE EXEMPLAIRE

C'est une ville, une ville à la campagne. Et quelle campagne ! La senteur des garrigues de la Côte, les pins, les oliviers, les couleurs de la Riviera*. L'anti-Défense*. Ici, pas de tours façon Manhattan ni de boulevards circulaires. Le chant des cigales au lieu du ronflement des périphériques. Une architecture variée, mais intégrée au paysage, parfois très réussie, jamais en rupture. [...] Le succès est là, on refuse du monde, on est près de la saturation, on prépare les extensions. Les raisons, sont limpides : haut niveau d'activités, efforts pour assurer le rayonnement industriel, scientifique et culturel, conjugués aux charmes du site et du climat...

Guy Porte, *Supplément-Le Monde*, 16.5.1990.

SOPHIPOLITAINS DE TOUS LES PAYS...

Pour aller travailler sur ordinateurs dans des hangars de verre ou de métal blanc, on se gare, à Sophia-Antipolis, entre pins et eucalyptus. C'est le signe, sans doute, du technopôle épanoui.

Un technopôle, une technopole ? La question n'est pas tranchée, et l'Académie accepte tous les genres. Le masculin est *a priori* plus seyant. Un pôle de technologie. Un technopôle... [...]

À Sophia, on croise d'ailleurs essentiellement des hommes, tous plus ou moins finement rayés , les manches relevées lorsqu'il fait beau. Les chemises viennent de Londres, de Milwaukee, à moins qu'elles n'aient été achetées sur la Croisette* à Cannes*. Vingt-sept nationalités de rayures, parfois dans la même entreprise, mais tout le monde s'entend bien. Les cadres internationaux ont un langage commun : l'anglais d'informatique.

Les femmes n'ont pas encore la prétention de revendiquer le genre féminin pour ce technopôle,

VOCABULAIRE

rayé : *(ici)* vêtu d'une chemise à rayures
une égérie : un modèle, une inspiratrice

REPÈRES

les Alpes-Maritimes : département de la région PACA
Pierre Laffitte : le fondateur de Sophia-Antipolis
la Riviera : la Côte d'Azur
la Défense : le nouveau quartier des affaires de Paris dont l'architecture de tours a été souvent critiquée
la Croisette : promenade en bordure de mer à Cannes
Cannes : ville balnéaire aux hôtels luxueux (lieu du Festival international du film)
un cahier des charges : l'ensemble des obligations qui lient les concepteurs et les constructeurs

mais elles sont bien représentées. [...] Elles sont vêtues de jupes étroites, sans avoir besoin de les ridiculiser d'une paire de tennis aux pieds comme les égéries ∗ new-yorkaises. À Sophia, on ne marche pas.

On roule et on se gare. Puis, on prend son porte-documents en cuir souple et, le temps de montrer sa carte magnétique à la caméra de la porte d'entrée, on ne sent déjà plus les eucalyptus. On traverse le hall, où sont exposées les dernières œuvres d'un créateur résigné à décorer le grand hall des Algorithmes ou du Pythagore, car la culture figure aussi au cahier des charges* d'une technopole. Une technopole, cette fois, et sans accent. Comme métropole ou mégalopole. La technopole se doit d'être une cité, bien qu'à Sophia les décideurs aient appris à relativiser cette ambition et que les « Sophipolitains » soient plus nombreux dans les brochures de communication interne qu'à la brasserie-snack qui sert des formules diététiques sur la place Joseph-Bermond.

Corine Lesnes, Supplément-Le Monde, 16.5.1990.

S'INFORMER

1. Relevez dans ces articles toutes les informations concernant Sophia-Antipolis et regroupez-les sous la forme d'une fiche descriptive : pourquoi la création de cette technopole ? par qui ? où ? quand ? comment ? qui y travaille ?

2. Quelle idée force a présidé à la création de Sophia-Antipolis ?

3. Comment Guy Porte explique-t-il le succès de cette technopole ?

4. D'après Corine Lesnes doit-on dire : « une technopole » ou « un technopôle » ?

5. Quelles sont les rapports de Sophia-Antipolis avec : l'environnement ? la culture ?

APPRÉCIER

6. Quelles critiques implicites contient l'article de Corine Lesnes à l'égard du site, de ses habitants, des promoteurs de l'opération ?

ANALYSER
COMPARER

7. Comment se traduit le conformisme des hommes et des femmes qui travaillent sur ce site ?

8. « La technopole se doit d'être une cité » : quels sont, selon vous, les ingrédients d'une véritable cité ?

INFORMER

9. Résumez ces articles en une dizaine de lignes.

TECHNOPOLES : DU SAVOIR AU SAVOIR-FAIRE

Ce reportage illustre le principe des technopoles par l'exemple de Sophia-Antipolis, qui fut l'ancêtre de la formule et qui reste un modèle constamment imité et jamais égalé.

S'INFORMER
REGARDER

Observez la construction de ce document pour illustrer le thème choisi :

1. Que montrent successivement les différentes images ? Caractérisez notamment le cadre géographique de la technopole présentée (aspect, climat...).

2. Quel est, d'après vous, le but de cette présentation ?

3. Quelle entreprise y est montrée ?

S'INFORMER
ÉCOUTER

4. D'après ce reportage, quels ingrédients doivent être réunis pour assurer le succès d'une technopole ?

5. Quels sont les différents types de partenaires qui constituent la technopole ?

6. À quelles grandes réalisations techniques, conçues dans d'autres technopoles, cette séquence fait-elle allusion ?

ANALYSER
COMPARER

7. Rapprochez ce reportage des articles consacrés à Sophia-Antipolis : en quoi ces documents se rejoignent-ils ou diffèrent-ils ? Quelles informations complémentaires apporte chacun d'eux ?

EXPLIQUER

8. Préparez un exposé destiné à expliquer à un groupe de vos compatriotes les caractéristiques des technopoles françaises ; comparez-les avec d'éventuelles réalisations voisines dans votre pays.

REPÈRES

Silicon Valley : en Californie, lieu où sont regroupées les principales sociétés d'informatique

IBM et Digital Equipement : deux géants américains de l'informatique

Air France : compagnie aérienne nationale française

Thomson : premier groupe français d'électronique

• • • • • •
SYNTHÈSE

Présentez un compte rendu écrit des documents illustrant le thème : « Culture et industrie : un mariage de genres. »
• • • • • •

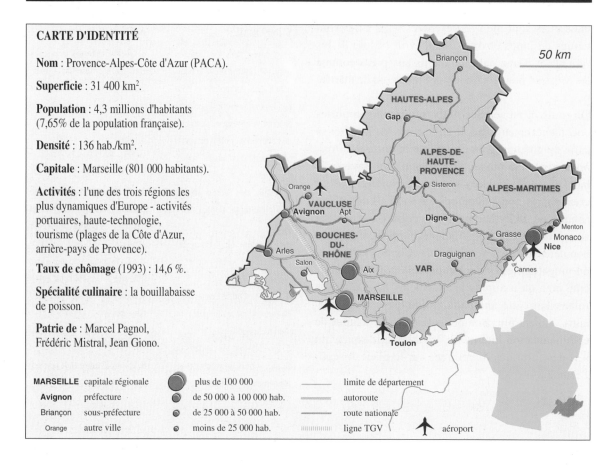

CARTE D'IDENTITÉ

Nom : Provence-Alpes-Côte d'Azur (PACA).

Superficie : 31 400 km².

Population : 4,3 millions d'habitants (7,65% de la population française).

Densité : 136 hab./km².

Capitale : Marseille (801 000 habitants).

Activités : l'une des trois régions les plus dynamiques d'Europe - activités portuaires, haute-technologie, tourisme (plages de la Côte d'Azur, arrière-pays de Provence).

Taux de chômage (1993) : 14,6 %.

Spécialité culinaire : la bouillabaisse de poisson.

Patrie de : Marcel Pagnol, Frédéric Mistral, Jean Giono.

MARSEILLE	capitale régionale	plus de 100 000
Avignon	préfecture	de 50 000 à 100 000 hab.
Briançon	sous-préfecture	de 25 000 à 50 000 hab.
Orange	autre ville	moins de 25 000 hab.

limite de département — autoroute — route nationale — ligne TGV — aéroport

LA PROVENCE JOUE L'EUROPE

BIEN MENÉE, LA RÉGION POURRAIT DEVENIR L'UN DES ARBITRES DU DÉVELOPPEMENT DE L'EUROPE DU SUD.

Deux ambitions animent la troisième région de l'Hexagone : s'amarrer à l'Europe et hâter la création d'industries de haute technologie par un fort développement des activités de matière grise et des financements mis à la disposition des entreprises. Traditionnellement axée sur le grand large – les ports, le tourisme international – la région renforce sa vocation européenne. Le TGV, malgré les polémiques, mettra d'ici 6 ou 7 ans Paris à 3 heures et permettra des liaisons avec Londres, Lille ou Bruxelles. La jonction, au sud d'Avignon, reliera Barcelone et Milan. Cette ouverture, ferroviaire ou routière, vers l'Italie du Nord, est d'ailleurs considérée comme une priorité par tous. Par quel chemin ? Par le sud, grâce au doublement, fort coûteux, de l'autoroute de la Côte d'Azur, saturée, ou par un autre itinéraire alpin ? […] L'internationalisation se renforce aussi sur les aéroports de Nice et de Marseille, respectivement second et troisième de l'Hexagone avec plus de 5 millions de passagers. Quant au port de Marseille, troisième d'Europe, il renforce ses équipements de Fos et continue de pousser le toujours hypothétique projet de liaison Rhin-Rhône qui lui ouvrirait enfin l'Europe centrale via l'Allemagne.

Avec ses 85 000 étudiants répartis entre Aix-Marseille (56 000), Nice (20 000) et les petits centres d'Avignon et de Toulon, la région occupe le troisième rang dans le domaine de l'enseignement supérieur. Un enseignement de plus en plus imbriqué avec la recherche dans le cadre des six technopoles fédérées depuis quatre ans sous le nom de Route des hautes technologies.

L'Entreprise, Atlas 92, n° 74, novembre 1991.

S'INFORMER

1. L'article évoque la double ambition de la région PACA : l'intégration à l'Europe et la haute technologie. Relevez dans cet article les informations qui concernent chacun de ces deux volets.

2. Quels sont les différents moyens de transport évoqués dans ce texte ? Qu'apprenez-vous sur chacun d'eux ?

3. Qu'appelle-t-on « la Route des hautes technologies » ?

ANALYSER COMPARER

4. Rapprochez cet article des documents concernant Sophia-Antipolis (voir ci-dessus, pp. 130-131) : quel est le rôle des technopoles dans le développement de l'enseignement supérieur et des industries de haute technologie ?

PROVENCE-SUR-RHÔNE

Géographie et histoire ne se recoupent pas toujours. Aux frontières naturelles que sont les monts, les fleuves, les mers, les hommes, de siècle en siècle, ont substitué des frontières théoriques qui entérinaient leurs conquêtes ou favorisaient leurs stratégies économiques et politiques. Ainsi en est-il du triangle Nîmes, Arles, Avignon. Il fait fi des frontières administratives et des rivalités de clocher **▪** pour réunir, dans une même entité touristique, un fragment de la région Languedoc-Roussillon, peut-être moins provençale au sens folklorique du terme, et une partie de cette région Provence-Alpes-Côte d'Azur que les paresseux du vocabulaire appellent maintenant PACA pour aller plus vite. La même Méditerranée ourle l'une et l'autre. Le Rhône passe entre elles, mais on ne saurait dire s'il est coupure ou lien […]. Sur une rive comme sur l'autre, les tuiles sont aussi romaines, les cyprès aussi élancés, le mistral **▪** aussi tenace, la lumière aussi pure et l'accent aussi tonique.

Ce ne sont pas seulement les paysages mais aussi leur passé, pour composé qu'il soit, qui lient Nîmes, Arles et Avignon. Les Romains y sont venus et y sont restés. Ils ont amené avec eux l'olivier, ce qui n'était pas le moindre des dons, mais aussi leur culture, leur goût des sites bâtis, leur sens du confort, leur maîtrise de la sculpture et de l'architecture. […] Ce sont des choses qui demeurent et qui lient, le vieux ciment d'une manière d'être commune, même si ensuite les chemins divergent. […]

C'est seulement à la fin du XV° siècle que les États de Provence furent rattachés à la couronne de France. […] Avignon fut catholique, Nîmes protestante et Arles… épicurienne. Il leur en reste à chacune quelque chose. Mais ce qui les lie aujourd'hui n'est pas moins fort que ce qui les unissait autrefois. […]

Elles misent toutes les trois sur un tourisme culturel qui s'appuie pour beaucoup, somme toute, sur leur passé romain… et roman. Et leur réputation d'asile de la douceur de vivre est telle que si l'ensemble des Français avaient le choix de leur résidence principale, elles ne pourraient absorber tous ceux qui rêvent d'y passer leur vie en vacances.

Partance, n° 8, avril 1992.

Environnement

LA BATAILLE DU TGV SUD-EST

Pour desservir la région PACA, le TGV Sud-Est doit emprunter l'étroite vallée du Rhône qui est déjà utilisée par les voies existantes de la SNCF* et le réseau des routes et autoroutes. Faut-il construire une nouvelle voie ferrée ou utiliser le réseau existant ?

Serge Martin, animateur de l'émission de France-Inter « Le pays d'ici », invite un agriculteur de la région, vice-président d'une association de défense (la CARD*) à répondre aux déclarations de Jacques Fournier, président de la SNCF.

REPÈRES

la SNCF : (Société nationale des chemins de fer français) société publique qui a le monopole de l'exploitation des trains français

la CARD : la Coordination de l'aménagement de la région de la Drôme

UN SANCTUAIRE POUR LES DAUPHINS

C'est officiel depuis le 22 octobre : les dauphins vont avoir un sanctuaire en Méditerranée, dans une zone comprise entre Hyères, Le cap Corse et Gênes, où l'usage des filets dérivants sera totalement proscrit. L'annonce de cette mesure de protection par le ministre de l'Environnement, Mme Ségolène Royal, a bien sûr satisfait tous les amoureux du « grand bleu* » qui l'attendaient depuis longtemps.

La décision ne fait, en revanche, pas le bonheur des pêcheurs qui accusent les dauphins de manger le poisson et donc de leur faire de la concurrence déloyale. Un argument aussi vicieux, soit dit en passant, que celui des chasseurs qui se plaignent des tableaux de chasse des renards parce que cela fait autant de pièces en moins dans leurs gibecières ! [...]

Dans ce sanctuaire, l'utilisation des filets dérivants, qui constituent des pièges mortels pour les dauphins et les petits cétacés, sera totalement bannie pour les bateaux de pêche français et italiens. [...]

La démarche étant limitée à la France et l'Italie, les bateaux des autres nations ne seront donc hélas pas (encore) contraints d'observer l'interdiction, mais les autorités françaises et italiennes espèrent que l'exemple jouera et emportera la réprobation internationale afin que les étrangers respectent eux aussi cette zone protégée.

Le Méridional, 6.11.1992.

ÉCOUTER

1. Dans son introduction, la journaliste semble faire un bilan du problème abordé dans ce sujet (repérable par l'utilisation du mot *donc*). C'est en fait une chanson qui ouvre l'émission, et l'intonation avec laquelle sont chantées les toutes dernières paroles, caractérise le ton général. Quelles indications pouvez-vous tirer de ces différents éléments ?

S'INFORMER

2. Quel sentiment expriment les riverains et quelles expressions traduisent ce sentiment ?

3. Quels sont les six départements concernés par le tracé du TGV ? Appartiennent-ils tous à la région Provence-Alpes-Côte d'Azur ?

S'INFORMER

1. Quel est l'objet de cette mesure ? Quelles en sont les limites ?

ANALYSER COMPARER

2. Que pensez-vous de la comparaison faite entre la pêche professionnelle et la chasse ?

Que pourrait répondre un pêcheur à cette attaque ?

3. Partagez-vous l'optimisme des autorités françaises et italiennes quant à l'effet dissuasif de la « réprobation internationale » sur les pêcheurs étrangers ?

4. Pour le vice-président de la CARD, quelle est la perturbation majeure que provoquerait un tracé du TGV s'ajoutant aux lignes ferroviaires actuelles, et quels en seraient les effets induits ?

5. Quel argument développe le responsable de la SNCF pour répondre à chacun des griefs soulevés par l'agriculteur ?

6. Rapprochez cet enregistrement de l'article consacré au TGV dans le dossier 1 (voir p. 14) : quels sont les avantages du TGV pour les utilisateurs ?

INFORMER

7. Par-delà les passions déclenchées par les intérêts régionaux, vous tentez de présenter le bilan objectif de ce projet, du point de vue de l'intérêt général, national et régional.

REPÈRES

le grand bleu : la mer ; allusion au film du même nom du cinéaste français Luc Besson (1988)

Danse

ROLAND PETIT : L'ÉCOLE DE DANSE DONT JE RÊVAIS

« Marseille, une des capitales de la danse, se devait, pour assurer son futur, d'organiser un lieu d'étude et de concertation digne de sa réputation de ville vivante dont les musées sont parmi les plus réputés de France. Il lui manquait une école de danse, celle dont je rêvais avec Gaston Defferre*, et que Jack Lang*, Robert Vigouroux* et Jean-Claude Gaudin* ont fait réaliser, non sans beaucoup de difficultés avant d'arriver au résultat que voici.

Dans le Parc Gabès verdoyant, une grande architecture dépouillée et savante réalisée par Roland Dimounet, créée spécialement pour les enfants qui veulent s'exprimer avec leur corps, leur cœur et leur esprit, afin de devenir des artistes, je l'espère, de haut niveau. Le Ballet national de Marseille occupe la moitié des locaux, de ce fait les enfants peuvent travailler à proximité de leurs aînés, et ainsi assister à l'évolution des spectacles qui sont créés devant eux et dans, certains cas exceptionnels, y participer. […]

L'École est là, les grands professeurs sont avec nous, les enfants sont heureux, prêts à mettre les bouchées doubles.

Quand à moi, aucun cadeau ne pouvait être plus beau pour célébrer les vingt ans de notre Compagnie. »

Le Provençal-Dimanche, 8.11.1992.

REPÈRES

Roland Petit : célèbre chorégraphe et danseur contemporain ; fondateur et animateur d'une compagnie de danse, le Ballet national de Marseille

Gaston Defferre : homme politique socialiste, maire célèbre de Marseille qu'il administra jusqu'à sa mort en 1986

Jacques Lang : voir ci-dessus, p. 123

Robert Vigouroux : le successeur de Gaston Defferre comme maire de Marseille

Jean-Claude Gaudin : président du Conseil régional de PACA

S'INFORMER

1. À qui est due l'école de danse de Marseille ?
2. Relevez les éléments qui soulignent l'importance de cette création.

APPRÉCIER

3. En quoi cet article est-il un témoignage personnel et non un article de pure information ? Relevez dans les propos de Roland Petit les termes qui soulignent l'attachement qu'il porte à cette réalisation.

INFORMER

4. Vous souhaitez interroger quelques-uns des jeunes danseurs de l'école : préparez vos questions.

ENJEUX

L'éthique

DOSSIER 6 La valse des éthiques

**À VOIR
DANS LE CAHIER D'EXERCICES**

Convaincre :
le processus de l'argumentation,
la présentation des arguments,
l'expression de l'accord
et du désaccord.
Rédiger : une lettre
de réclamation.

Les problèmes de l'éthique donnent lieu à un vaste débat de société et concernent tous les « citoyens-acteurs » français. Chacun de ces acteurs définit ses propres règles de conduite et forge un néologisme pour identifier « son » éthique : « Partout, il n'est plus question que d'éthique. Pas seulement de business-éthique, mais de bioéthique, de markéthique, de mœurséthique, etc. Et les comités d'éthique surgissent un peu partout, comme fleurs au soleil du printemps. » C'est *La Valse des éthiques*, décrite par le philosophe Alain Etchegoyen dans un essai célèbre, qui sert de fil conducteur à ce dossier.

L'ÉTHIQUE ET LA MORALE

Si l'on préfère parler d'« éthique » plus que de « morale », c'est, explique Alain Etchegoyen*, que la morale est « un impératif catégorique, et l'éthique, un impératif hypothétique ».

Il s'agit de morale quand la conscience agit par devoir, par respect d'une valeur.

Il s'agit d'éthique quand, après avoir examiné une situation, on se réfère à des valeurs parfois contradictoires, on en privilégie une et on adopte un comportement qui peut être provisoire et dicté seulement par la prudence. L'éthique est sans obligation ni sanction, moins douloureuse que la morale.

Elle n'est pas méprisable pour autant. L'actuel déplacement vers l'éthique, note Gilles Lipovetsky*, sociologue, constitue à bien des égards « une chance pour les démocraties, témoignant d'une prise de conscience accrue de nos responsabilités envers l'avenir, d'un renforcement des valeurs humanistes ». Mais le même ajoute aussitôt : « Comment croire un seul instant que les proclamations idéales, les vertueuses protestations, les comités d'éthique puissent être à la hauteur des défis du monde moderne ? Misère de l'éthique qui, réduite à elle seule, ressemble davantage à une opération cosmétique qu'à un instrument capable de corriger les vices ou excès de notre univers individualiste ou technoscientifique ».

Jacques Duquesne, *Le Point*, n° 1057, 19.12.1992.

REPÈRES

Alain Etchegoyen :
normalien, agrégé de philosophie et conseiller de groupes industriels, auteur de *La Valse des éthiques*, éditions François Bourin, 1992

Gilles Lipovetsky :
sociologue, auteur du *Crépuscule du devoir*, Gallimard, 1992

S'INFORMER

1. Repérez dans le chapeau d'introduction les néologismes composés à l'aide du mot « éthique » : à quelles activités se rapportent-ils ?

APPRÉCIER

2. En préalable à l'étude de ce dossier, recherchez en groupe quelques « défis du monde moderne » lancés à l'éthique.

ANALYSER COMPARER

3. Comparez ces définitions avec celles d'un dictionnaire français-français. Comparez-les ensuite aux définitions de ces mots, traduits dans votre langue. Les concepts se recouvrent-ils, ou y a-t-il des différences ?

4. Pensez-vous que ces concepts sont universels ou bien sont-ils relativisés selon les cultures ? Pouvez-vous donner des exemples ?

MORALE OU TABOU

« Tous les termes qui, de près ou de loin, tendent à évoquer l'exclusion sont peu à peu rayés du vocabulaire, constate le linguiste Pierre Merle. Comme si, grâce au langage, on essayait parfois hypocritement de se dédouaner du mal. » Donc un Noir devient un black. Un Arabe, un beur*. Un clochard, un SDF*. Un sourd, un mal-entendant. Un balayeur, un technicien de surface. Avez-vous remarqué que nos usines tournent désormais presque toutes sans OS* ? La robotisation des chaînes n'y est pour rien. Simplement, les directions des relations humaines les ont rebaptisés d'un pompeux « agents de fabrication ». C'est tout de même plus présentable… […]

La vérité […] c'est que la France ne supporte plus la vision de ses marges. « Aujourd'hui, on n'a plus le droit d'avoir faim ni d'avoir froid », clame la chanson des Restos du cœur*, relayée par la génération morale de nos campus. Avant, on l'avait. Désormais […] la misère est obscène. Inacceptable. « L'immoral ne passe plus », analyse le sociologue Jean Duvignaud. Alors, pour se dédouaner, on fait voter le RMI*. On donne au Téléthon*, aux Restos du cœur, à Médecins du monde*. On exige de la RATP* qu'elle ouvre ses stations aux sans-abris. Et on s'invente un « droit d'ingérence » humanitaire. Parce qu'en Yougoslavie, en Somalie, au Kurdistan non plus, « on n'a pas le droit ». Cela ne change rien aux racines du mal, mais permet de tirer les rideaux sur la honte qu'on en a.

Philippe Éliakim, *L'Événement du Jeudi*, 3.9.1992.

REPÈRES

un beur : surnom donné aux enfants nés en France de parents maghrébins

un SDF : une personne « sans domicile fixe »

un OS : un ouvrier spécialisé

un Resto du cœur : association créée par le comédien Coluche, qui sert gratuitement des repas aux déshérités pendant l'hiver

le RMI : le revenu minimum d'insertion versé aux personnes sans ressources

le Téléthon : émission de la télévision qui appelle à la générosité du public pour aider la recherche médicale

Médecins du monde : organisation humanitaire de médecins qui interviennent dans le monde entier

la RATP (Régie autonome des transports parisiens) : entreprise publique qui gère le métro et les autobus de la capitale

S'INFORMER

1. Identifiez les personnes qui s'expriment dans cet article.

2. « La France ne supporte plus la vision de ses marges » : relevez les groupes « marginaux » cités dans le document.

ANALYSER COMPARER

3. « Alors, pour se dédouaner… » : pourquoi, selon vous, l'auteur minimise-t-il l'importance des actions qui illustrent cette formule ?

4. Pouvez-vous citer des cas où, dans votre langue, le vocabulaire sert à masquer un problème de société ?

QUAND ON PERD SA DIGNITE ON PERD PRESQUE TOUT.

IL Y A DES CHOCS ÉCONOMIQUES QUI SECOUENT AUTANT QU'UN TREMBLEMENT DE TERRE.

LA LANGUE DE COTON

Pierre Bouteiller s'entretient avec François-Bernard Huygue, auteur de *La Langue de coton*, ouvrage paru chez Robert Laffont en 1992. La « langue de coton », ou l'art de parler pour ne rien dire en agitant de beaux sentiments…

S'INFORMER REGARDER

Observez la construction de ce document pour illustrer le thème choisi :
Deux personnes s'entretiennent dans un cadre que vous connaissez déjà. Le journaliste P. Bouteiller et l'auteur du livre *La Langue de coton*.

1. Pensez-vous pouvoir qualifier l'entretien d'après les expressions et les gestes des deux participants ?

S'INFORMER ÉCOUTER

2. Comment est définie la langue de bois par rapport à la langue de coton à partir des caractéristiques propres à chaque matériau ?

3. Citez deux exemples de langue de coton ainsi que leur définition.

4. Quelle forme l'auteur a-t-il donnée à son livre pour traiter ce sujet ?

ANALYSER COMPARER

5. Que signifient les expressions : « Nous sommes les "Monsieur Jourdain" de la langue de coton », « gratifiant au niveau du vécu social » ?

6. Rapprochez cette interview de l'article de P. Éliakim « Morale ou tabou » (voir p. ci-dessus) : quelles similitudes trouvez-vous dans les deux documents ?

INFORMER

7. Vous rédigez un article présentant cette émission pour une revue culturelle francophone de votre pays.

L'individu, en tant que citoyen, se trouve concerné au premier chef par les problèmes de l'éthique. Les multiples abus et les violations quotidiennes de ce que l'on peut appeler « le pacte social » traduisent un manque de solidarité évident, déjà évoqué dans les précédents dossiers. Et que faut-il penser des souffrances infligées aux animaux au cours d'expérimentations qui servent principalement la recherche médicale, mais aussi les besoins commerciaux d'une industrie de la cosmétologie en pleine expansion ? Faut-il redéfinir certaines règles ou doit-on considérer que notre société est entrée dans une ère où la morale n'est plus qu'affaire d'interprétation individuelle ?

LE « KRACH ÉTHIQUE » ?

Est-ce à un « krach ˙ éthique » que l'on assiste aujourd'hui ? Pourquoi l'opinion semble-t-elle plus réceptive à ce type de préoccupation ? D'où vient ce sentiment que la moralisation de la vie publique française est devenue indispensable ? En surface, de l'accumulation « d'affaires politiques » avec l'effet de résonance et de répétition amplifié par les médias. Et si les « affaires politiques » n'étaient plutôt que le reflet d'un mal plus endémique ˙ qui s'appellerait le désenchantement civique ?

La « revendication éthique » actuelle trouve son fondement dans la coïncidence de plusieurs phénomènes bien connus désormais : émergence de l'individualisme, affaiblissement des normes de référence dans l'ordre moral (famille, église) ou communautaire (altruisme, civisme). Un autre, plus récent, s'y ajoute, qui pour être le moins analysé de tous, n'est pas nécessairement le moins important : le recul aux yeux des citoyens de ce qui constitue, dans l'idéal républicain, l'un des socles fondateurs des fonctions régaliennes de l'État : la justice et la loi. [...]

À l'image d'Épinal* des fraudeurs du fisc, traditionnellement en tête du Top 50* de l'indignité, s'ajoutent de nouvelles tribus : faux chômeurs qui vivent aux frais de la collectivité, employeurs de main-d'œuvre clandestine, professionnels de la subvention indue, médecins qui délivrent des ordonnances de complaisance, témoins d'agression dans la vie urbaine qui restent à l'écart, grévistes qui abusent des goulots d'étranglements de la société, fraudeurs du transport en commun, taggers ˙ ou vandales qui détruisent les biens collectifs, etc.

Dans un climat social gravement affecté par la montée du chômage, ces violations au quotidien du pacte social s'ajoutent à la délinquance ordinaire, à la grande criminalité et à la multiplication des phénomènes de corruption. [...]

Qu'on ne s'y trompe surtout pas en n'y voyant que de simples évolutions – même regrettables – des mœurs, ou la conséquence inévitable de détresses individuelles provoquées par la crise, un « système D ˙ » dont les Français, au fond, s'accommodent. Dans leur ampleur, les exemples cités plus haut donnent au citoyen le sentiment que le respect des règles est au mieux démodé, au pire une bêtise quand « les autres, eux, ne se gênent pas ». L'effet démoralisateur de ces comportements et leur coût social peuvent rapidement devenir exorbitants, d'autant que l'autorité de l'État en sort considérablement affaiblie. [...]

Bernard Spitz, *Libération*, 3.9.1992.

VOCABULAIRE

un krach : *(allemand)* un effondrement

un mal endémique : un mal chronique, permanent

un tagger : *(angl.)* celui qui dessine des graffitis (appelés « tags ») sur les murs à l'aide d'une bombe aérosol ou de gros feutres

le système D : *(fam.)* le système des gens débrouillards

REPÈRES

une image d'Épinal : une image naïve et simplificatrice

le Top 50 : le classement des 50 premiers

LES TAGGERS : ARTISTES
OU VANDALES* ?

Venue des États-Unis, la vague des « tags » (signatures stylisées) a submergé la capitale. « Le téléphone sonne » consacre une émission aux taggers. Parmi les invités qui répondent aux auditeurs, Christian Cozard, représentant de la RATP* et André Willy, un tagger.

S'INFORMER

1. Résumez l'idée principale de chaque paragraphe et reconstituez le plan de cet article.

2. Quels sont, d'après Bernard Spitz, les symptômes du « krach éthique » ?

3. Quelles en sont les causes profondes ?

4. Quelles sont, parmi les nouvelles formes de délinquance citées au 3e paragraphe, celles qui portent atteinte : à l'économie ? à la vie de la cité ?

APPRÉCIER

5. Bernard Spitz répond-il dans ce texte aux trois questions posées dans l'introduction ?

ANALYSER
COMPARER

6. Donnez quelques exemples du « coût social » des abus décrits dans l'article.

INFORMER

7. Rédigez un article comparant la situation de votre pays à celle de la France, telle qu'elle apparaît dans cet article.

ÉCOUTER

1. Notez la musique de fond pendant que la première personne parle, ainsi que sa façon de parler (rythme, débit, construction de phrases). Quelle(s) indication(s) cela vous donnet-il sur l'interviewé et sur le thème de l'interview ?

2. Sur quel ton le journaliste A. Bédouet fait-il l'introduction de ce thème de l'émission « Le téléphone sonne » ?

S'INFORMER

3. Le « tagger » donne les raisons qui poussent les jeunes à « tagger ». Quelles sont-elles ?

4. Avant de passer la parole à un auditeur, le journaliste A. Bédouet demande à une collègue de donner des informations chiffrées sur l'ampleur du phénomène ; de même, il donne la parole à un invité de son émission pour un commentaire de ces mêmes informations. Pouvez-vous les relever ?

5. Quelle opinion exprime l'auditeur à propos du « tag » ?

6. Quel argument lui fait valoir André Willy ?

ANALYSER
COMPARER

7. Le phénomène du « tag » existe-t-il dans votre pays ?

8. D'après vous, le tag est-il une expression artistique, une expression sociale, ou simplement du vandalisme ?

REPÈRES

les Vandales : groupe de peuples d'origine germanique qui envahit l'Europe au Ve siècle ; leur nom est devenu synonyme de « destructeurs »

la RATP : voir p. 139

Le Petit Prince : conte philosophique d'Antoine de Saint-Exupéry ; le Petit Prince prononce la phrase célèbre citée ici : « Dessine-moi un mouton ! »

LE CONSOMMATEUR CONFRONTÉ À L'ÉTHIQUE

CÔTÉ MIROIR...

La consommation de produits d'hygiène-beauté est d'environ 500 francs par personne et par an, contre 72 francs en 1970.

Les femmes d'abord

C'est la vente des produits de beauté qui se développe le plus, en particulier les produits de soins et de traitement du visage. [...]

Les produits de beauté proposés se situent aujourd'hui entre la cosmétologie et la pharmacologie. Les fabricants ont fait à la fois des efforts de recherche et de communication.

Les hommes aussi

Depuis quelques années, le marché de la beauté masculine connaît une véritable explosion : plus de 3 milliards de francs en 1991. 21 % des hommes utilisent régulièrement des produits de soins (souvent ceux de leurs compagnes) : plus d'un sur trois a déjà utilisé une crème pour le visage et la moitié des autres sont prêts à essayer. On constate cependant que ce sont encore les femmes qui, dans 60 % des cas, achètent les produits de beauté pour les hommes.

Gérard Mermet, Francoscopie, Larousse, 1991 et 1993.

Mais pour chaque produit nouveau, testé pour ne pas nuire à la santé des êtres humains, combien d'animaux sacrifiés pour des essais et des tests, même si la cosmétologie ne représente que 1,5 % des expérimentations ?

... CÔTÉ LABO

2 264 225 souris, 147 495 cobayes, 11 773 lapins, 7 721 chiens, 2 808 chats, 12 chimpanzés, 15 467 porcs, 256 chevaux, ânes, mulets, bardots, 91 452 oiseaux... et zéro raton laveur[1] ! Ce sont au total 3 645 708 animaux vertébrés qui ont été utilisés en France en 1990 à des fins de recherche. Soit 1 187 713 de moins qu'en 1984. Tel est l'inventaire publié par le ministère de la Recherche dans le cadre des dix mesures d'assainissement de l'expérimentation animale annoncées le 28 juin dernier.

Le Point, 5.9.1992.

1. Allusion à un poème de Jacques Prévert dans lequel le raton laveur termine une longue énumération d'éléments disparates.

S'INFORMER

1. Relevez les chiffres qui montrent l'importance du marché de la cosmétologie.

2. La femme joue un rôle direct et un rôle indirect dans le développement de ce marché : relevez les faits qui illustrent chacun de ces deux rôles.

3. Comment a évolué l'industrie cosmétique dans la période considérée ?

4. Que vous apprend l'article du *Point* sur les préoccupations des pouvoirs publics en matière d'expérimentation animale ? Quels ont été les résultats de ces efforts ?

ANALYSER COMPARER

5. Comment expliquer l'explosion du marché de la beauté : pour les femmes ? pour les hommes ?

6. À votre avis, le public est-il conscient du lien de cause à effet entre le développement des produits de beauté et l'expérimentation animale ?

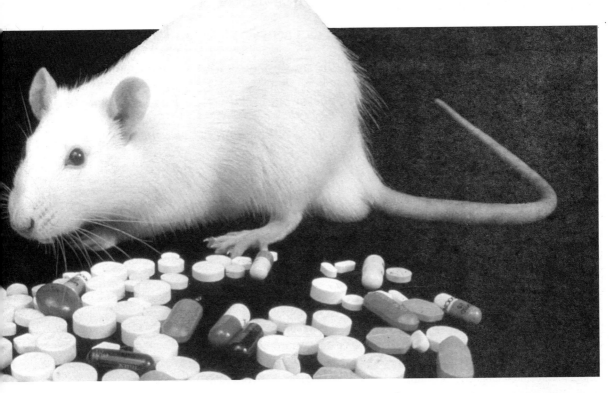

FAUT-IL ABANDONNER LES EXPÉRIMENTATIONS ANIMALES ?

Les expérimentations animales peuvent-elles être remplacées par des tests *in vitro* qui permettent de tester les nouveaux produits pharmaceutiques ? La question se pose d'autant plus lorsqu'il s'agit de produits cosmétiques, non indispensables.

SYNTHÈSE

Présentez un compte rendu écrit des documents illustrant le thème : « L'éthique de la société : la "mœurséthique". »

S'INFORMER REGARDER

Notez la construction de ce document pour illustrer le thème choisi :

1. D'après les premières images, où sommes-nous ?

2. Les personnes montrées à l'écran corroborent-elles votre première impression ?

3. Quel type de magasin est ensuite montré ?

4. Quelle image choc caractérise le thème ?

5. À quel type de débat ce reportage conduit-il ?

6. D'après vous, quelles sont les applications de l'expérimentation animale montrées par les images ?

S'INFORMER ÉCOUTER

7. Combien d'animaux sont sacrifiés dans des expérimentations chaque année en France ? Quelle part va à l'industrie pharmaceutique, quelle part à l'industrie cosmétique ?

8. Que demandent les associations de protection des animaux ? Que répondent les chercheurs ?

APPRÉCIER

9. Ce reportage n'est pas exempt de parti pris. Êtes-vous d'accord ou non avec cette présentation du problème ? Justifiez votre point de vue.

ANALYSER COMPARER

10. Comparez les idées développées dans cette enquête avec le thème du texte « Les trois écologies » de L. Ferry dans le dossier 4 (voir p. 85).

11. Comment se pose le problème de l'expérimentation animale dans votre pays ? Qui s'en préoccupe ? Sous quelle forme a lieu le débat ?

CONVAINCRE

12. Imaginez qu'à la suite d'une campagne anti-expérimentation animale étayée par ce reportage, les laboratoires de cosmétique soient menacés de ne plus avoir le droit de commercialiser des produits testés sur des animaux. Vous êtes le directeur de la communication d'une importante firme de produits de beauté. Vous écrivez un article dans la presse pour faire valoir votre opinion.

VIDÉO 2

La presse, le « 4ᵉ pouvoir », a joué un rôle majeur dans la sensibilisation du public aux exigences de l'éthique. Mais cette position de « pouvoir moral » n'est pas sans risques et les médias eux-mêmes ne sont pas toujours au-dessus de tout soupçon, comme le montrent Serge July, rédacteur en chef de *Libération*, et Albert du Roy, éditorialiste de la chaîne de télévision France 2 et directeur de la publication *L'Événement du Jeudi*.

LES POISONS DE LA CONCURRENCE

LE NOUVEL OBSERVATEUR. – Vous accordez une influence plus pernicieuse, dans notre métier, à l'erreur qu'à la faute…

ALBERT DU ROY. – Quand nous faisons une erreur d'appréciation, nous n'en tirons pas les mêmes conséquences que lorsqu'il y a faute volontaire. Celle-ci est dénoncée et entraîne aussitôt une grande vigilance. La faute met en cause l'honnêteté, et l'erreur, la compétence : on est plus sensible à la première qu'à la seconde. On ne réfléchit pas assez au fait que l'ensemble du système médiatique pousse de plus en plus les journalistes à commettre des erreurs. Dans toutes nos rédactions, et plus encore dans l'audiovisuel, particulièrement exposé, nous ne cherchons pas assez à remédier à ce nouveau danger. Contre la technologie, nous ne pouvons rien faire, et ce serait d'ailleurs absurde de s'en passer. Mais alors, sans jouer au vieux professionnel, devons-nous accepter que les jeunes journalistes qui font ce métier, dans ces conditions, manquent à ce point de culture de base ? Cette culture, entretenue par des lectures, des conversations, des réflexions quotidiennes, permet seule une appréciation plus juste de l'information, et par là même, permet seule de corriger les effets pervers de la rapidité, de l'accélération dont nous parlons. Puisque les responsables d'une rédaction de quotidien, mais surtout de journaux télévisés, ne contrôlent plus assez, avant diffusion, ce qui est diffusé, le jugement individuel devient pratiquement le dernier recours. Pourtant, le recrutement ne se fait pas en fonction de ces nouvelles exigences. […]

LE NOUVEL OBSERVATEUR. – Comment réglez-vous le problème de la concurrence dont nous sommes nous-mêmes les acteurs et les victimes, par exemple au *Nouvel Observateur* et à *L'Événement du Jeudi* ?

ALBERT DU ROY. – Ce thème de la concurrence m'obsède littéralement, car elle nous amène, dans notre profession, à des comportements anormaux. Si nous ne nous décidons pas nous-mêmes à poser le problème, d'autres, un jour – l'État, un Ordre, un Conseil supérieur… – le feront à notre place. Nous devons apprendre à gérer nous-mêmes nos concurrences. Pour attirer le public plus que le voisin ne l'attire, il y a deux sortes de méthodes : les valables et les contestables. Hélas, l'expérience prouve que les secondes rapportent plus que les premières. La qualité globale de l'information passe aussi, nécessairement, par une plus grande exigence de ceux à qui nous nous adressons. C'est pourquoi j'ai essayé dans mon livre[1] de faire comprendre de l'intérieur nos contraintes : avec l'espoir que le lecteur, l'auditeur, le téléspectateur, comprenant mieux notre métier, nous aideront à être meilleurs. C'est un combat de longue haleine, un défi majeur pour les générations à venir, et nous savons vous et nous que tout le monde n'est pas prêt à le mener.

Propos recueillis par Elizabeth Schemla, *Le Nouvel Observateur*, 15.10.1992.

1. *Le Serment de Théophraste*, Flammarion, 1992.

S'INFORMER

1. Quels sont les deux thèmes traités dans cette interview ?

2. Quelle différence Albert du Roy fait-il entre la faute et l'erreur professionnelles ?

3. Comment les journalistes peuvent-ils lutter contre les risques d'erreur ?

ANALYSER COMPARER

4. En quoi la technologie a-t-elle bouleversé le métier de journaliste ?

5. Pour quelles raisons la concurrence entre les médias est-elle devenue tellement féroce ?

6. Albert du Roy fait allusion aux méthodes utilisées pour attirer le public : selon vous, quelles sont les méthodes « valables » et celles que vous jugez « contestables » ?

7. Quelle formation devrait recevoir tout jeune journaliste ?

8. Comment le public peut-il aider les médias à s'améliorer ?

INFORMER

9. Vous écrivez à Albert du Roy, dans le courrier des lecteurs du *Nouvel Observateur*, pour lui exprimer votre opinion sur son interview.

MÉDIAS : AU CŒUR DU DÉBAT DÉONTOLOGIQUE

Les frontières sont devenues si floues entre information et communication que les hommes chargés de « faire passer le message » jouent de ces zones indistinctes pour exercer leurs talents d'influence. Cela ne fait pas forcément des journalistes entraînés dans le jeu des invitations et des voyages gracieux des corrompus, mais cela nourrit certainement la suspicion légitime des lecteurs et des téléspectateurs à l'égard d'une profession placée par vocation au cœur du débat déontologique et dont la crédibilité est le véritable fonds de commerce.

C'est pourquoi les médias doivent veiller à tracer des lignes de démarcation claires entre l'information et ce qui n'en est pas. Il ne suffit pas d'informer, encore faut-il délivrer au consommateur les labels de qualité et les certificats de garantie.

L'avenir de la presse dépendra des règles professionnelles que chaque entreprise journalistique saura s'imposer et qui seront naturellement portées à la connaissance du public. Cela aussi fait partie de la responsabilité des médias.

Extrait de l'éditorial de Serge July,
Libération, 18.11.1992.

S'INFORMER

1. Quel danger l'éditorial de Serge July ajoute-t-il à ceux déjà dénoncés par Albert du Roy ?

ANALYSER
COMPARER

2. Pouvez-vous citer des exemples de ces abus ?

3. Pourquoi peut-on dire que les médias sont « au cœur du débat déontologique » : quel rôle joue – ou peut jouer – la presse dans ce débat ?

4. Expliquez l'expression : « une profession… dont la crédibilité est le véritable fonds de commerce ».

IMAGINER

5. Établissez en groupe une liste des cinq règles déontologiques les plus importantes que tout journaliste devrait respecter.

« Science sans conscience n'est que ruine de l'âme » affirmait déjà Rabelais au XVIe siècle. Encore ne parlait-il que pour une société lentement évolutive… Aujourd'hui les défis sont d'une tout autre dimension. Non seulement par l'impact des techniques et des phéno-mènes de « massification » qu'elles entraînent, mais aussi parce que les scientifiques sont capables d'intervenir sur la structure même du vivant. Les biotechnologies permettent de concevoir une « carte d'identité génétique » pour l'homme et de « fabriquer » des végé-taux ou des animaux nouveaux. Jusqu'où peut-on aller en ce domaine ? Les autorités morales et scientifiques sauront-elles proposer et imposer des jalons éthiques ?

L'AMBIGUÏTÉ DE LA BIOÉTHIQUE

Peut-on légiférer en matière d'éthique ? Et dans ce cas, qu'est-ce qui doit être du domaine de la loi ? Ou bien est-ce dangereux ? Ne vaut-il pas mieux former les gens à l'éthique, et au premier chef les médecins ? Vaste et complexe confrontation, où tous les avis sont nécessaires et opportuns. On n'a pas oublié la formule de Jean Bernard* à propos des recherches menées sur l'embryon humain : « Nécessairement immorales et moralement nécessaires. » Toute l'ambiguïté de la bioéthique s'y trouve résumée.

Dr Jean-François Lemaire, *Le Point*, n° 902, 1.1.1990.

LA TENTATION DES TESTS GÉNÉTIQUES

La récente mise au point des tests génétiques est un bel exemple d'évolution de la science qui risque sin-gulièrement de poser problème. « Certains aspects de leur utilisation sont de nature à remettre en question les fondements mêmes de notre société », commentait Axel Khan, directeur de recherche à l'Inserm*. Tests génétiques ? Il s'agit ni plus ni moins de détecter la présence chez un individu de tel ou tel gène, autre-ment dit, pour de nombreuses maladies, de la signa-ture marquant la présence de l'anomalie. Souvent même avant même qu'elle se soit manifestée.

On imagine combien de tels tests sont susceptibles d'intéresser tous les organismes qui déjà s'empressent d'établir par le menu l'inventaire des maladies qui ont sévi dans la famille, de prendre tension artérielle et taux du cholestérol, pour ne pas parler du poids, des troubles visuels, des maladies cardiaques déjà surve-nues. Et cela avant l'embauche ou l'établissement d'un contrat d'assurance, voire chez des parents can-didats à l'adoption. […]

Si les tests génétiques peuvent s'inscrire dans la voie de la médecine prédictive, voire préventive, ils sont beaucoup plus difficiles à interpréter qu'il pourrait paraître. Et le plus souvent, ils ne sont que la mise en évidence de gènes de prédisposition, qui n'agissent qu'en interaction avec l'environnement et d'autres gènes, et dont l'expression est très variable.

Comme c'est souvent le cas avec les innovations, le danger tient certes en partie à une utilisation immorale qu'on peut être tenté d'en faire. Mais le mal qu'un nouvel outil peut engendrer est pour une part impor-tante lié aux possibilités tout à fait exagérées qu'on lui prête, et aux abus liés à une absence de maîtrise de l'usage qu'on en fait.

Dr M. V., *Le Figaro*, 9.2.1993.

NON AU FICHAGE PAR L'ADN !

Intuitivement, on le savait depuis toujours : chaque être humain est unique. Désormais, on en a la preuve par A plus B – ou plutôt par ADN : les molécules d'ADN contenues dans chacune des cellules d'un individu (peau, sang, cerveau, sperme, cheveu…) constituent autant d'exemplaires d'une signature hau-tement spécifique et infalsifiable. On peut aujourd'hui parler de « carte d'identité génétique ». Dès lors, la question se pose : va-t-on inscrire l'identité génétique de chaque individu sur son extrait de naissance, son casier judiciaire, son livret militaire… – comme naguère l'empreinte digitale de son index gauche sur sa carte d'identité ? […]

F. Gruhier et M. de Pracontal, *Le Nouvel Observateur*, 19.11.1992.

TRANSFERT DE GÈNES : BIENTÔT LES HOMMES ?

Par le passé, l'évolution des espèces s'est faite naturellement, à l'aide de processus aléatoires, longs et progressifs. Depuis peu, l'homme a acquis la possibilité de manipuler les gènes. Il sait désormais créer de nouvelles espèces par simple transfert ou modification génétique.

VIDÉO 3

REPÈRES

Inserm : Institut d'études et de recherches médicales

Jean Bernard : médecin et biologiste, président du Comité national d'éthique

S'INFORMER

1. En quoi consistent les tests génétiques ? Dans quels domaines peut-on les utiliser ? Quels dangers présentent-ils ?
2. Qu'est-ce que la « carte d'identité génétique » ?

ANALYSER COMPARER

3. Quelle différence faites-vous entre la « médecine prédictive » et la « médecine préventive » ?
4. À partir des informations contenues dans ces documents, définissez la notion de « fichage génétique ».
5. Quels problèmes éthiques pose la découverte de « la carte d'identité génétique » : sur les plans médical, juridique, professionnel ?

IMAGINER

6. Imaginez les progrès que peuvent apporter les tests génétiques. Quels abus leur utilisation peut-elle entraîner ? Quels moyens doit-on mettre en œuvre pour limiter ces abus ?

S'INFORMER REGARDER

Observez la construction de ce document pour illustrer le thème choisi :

1. Les premières images montrent des squelettes d'animaux. Dans quel type de lieu sont-ils filmés ? De quoi s'agit-il ?
2. Quel parallèle les images immédiatement suivantes veulent-elles établir ?
3. Qui est la personne interviewée ensuite ? A-t-elle un lien avec les images précédentes ?
4. Dans quel type d'établissement est réalisée la seconde partie du reportage (à partir de l'interview) ?
5. En liant toutes les images montrées, pouvez-vous identifier le domaine scientifique concerné ?

S'INFORMER ÉCOUTER

6. À travers les explications fournies, comment peut-on définir ce qu'est un transfert génétique ? Quel progrès représente cette manipulation pour obtenir de nouvelles espèces de plantes et d'animaux par rapport aux méthodes d'autrefois ?
7. Quelles sont les deux façons d'utiliser le transfert de gènes pour soigner les maladies humaines ?
8. Quelles limites sont imposées à ces manipulations chez les hommes ?

ANALYSER COMPARER

9. Que pensez-vous de la liberté totale laissée en matière de transfert de gènes pour les animaux ? Comparez le problème posé ici avec celui des expérimentations animales évoqué dans le sujet vidéo 2 (voir pp. 142-143).
10. D'après les différents documents sur ce thème, quelle(s) réflexion(s) vous inspire la « bioéthique » ?

EXPLIQUER

11. Vous expliquez les enjeux de la « bioéthique », tels qu'ils sont perçus en France, à un groupe d'étudiants francophones de votre pays.

Dans les entreprises, parler d'éthique est à la mode. Pourtant, la délinquance « en col blanc » s'est mise à l'heure de l'ordinateur et prend des formes sophistiquées bien difficiles à traquer. Plus subtiles, mais aussi dangereuses, certaines pratiques professionnelles soulèvent des problèmes de déontologie auxquels il est parfois difficile de répondre. Ainsi, le recrutement : pour départager des candidats trop nombreux, tous les moyens semblent parfois permis, au détriment du respect de l'individu. Quant à la frontière entre morale individuelle et impératifs de l'entreprise, elle semble bien floue pour certains cadres. Cependant le besoin d'une « éthique des affaires » est de plus en plus vivement ressenti : peut-on parler pour autant d'un « retour de la morale » ?

L'ENTREPRISE ENVAHIE PAR LES ÉTHIQUES

Je risquerais volontiers une hypothèse : plus une entreprise parle d'éthique, moins elle en fait ; plus une entreprise se tait sur l'éthique, plus elle en fait. Plus une entreprise multiplie ses codes, chartes et tous autres modes d'affichage des valeurs, moins celles-ci sont crédibles ; plus une entreprise se tait sur ses valeurs, plus on a la chance de les déceler dans l'histoire des individus qui la font et dans leurs comportements quotidiens. L'excès de discours reflète toujours la carence des pratiques. La seule formalisation légitime passe par la formation ou l'accueil des salariés. Et encore faut-il être prudent. Telle est la vraie moralité d'une entreprise qui rejoint la moralité de tous : ce sont les actes qui comptent et non les paroles. [...]
La critique porte ici sur « le management par les valeurs », qui procède d'une mécanique maintenant bien huilée ▪. Le comité de direction ou le chef d'entreprise lui-même, souvent assistés d'un consultant ès éthique, identifient des valeurs. Ce sont quelquefois les leurs propres, quelquefois celles qu'ils déduisent abstraitement des métiers particuliers à l'entreprise. Elles sont sélectionnées dans un vivier ▪ de valeurs dites de « réussite ». [...] À cette tombola, les numéros qui sortent le plus souvent sont les suivants : solidarité, responsabilité, droit à l'erreur, confiance, loyauté, intégrité, rigueur, effort, respect des hommes, courage, professionnalisme, écoute des autres, tolérance, subsidiarité*, collégialité, honnêteté, transparence, autonomie, équité, développement personnel, perfection.
Lorsque le choix est fait, la communication a une mission : « décliner ▪ ». Les tâches sont réparties entre services de communication interne et relations extérieures. Ils se délectent de ces contenus qui permettent toutes les variations sémantiques ▪ et sémiotiques ▪. « Décliner » est sans doute l'impératif le plus courant de la communication interne. On entend par là le fait de traduire à chaque niveau de la hiérarchie ou dans les divers lieux de l'entreprise un mot d'ordre de la direction. « Déclinez » est une consigne ambiguë dont on devrait se méfier, tant ce verbe dit une dégradation insoupçonnée et signifie le sens descendant de la communication. La vraie et bonne communication « conjugue », elle ne « décline » pas. À l'extérieur, les publicitaires, quant à eux, sont chargés de construire une communication *corporate** et de

« décliner » dans des messages sur supports divers, en direction des consommateurs et des candidats au recrutement.

Tout cela pourrait paraître un enfantillage. Mais les sommes investies montrent que les enjeux ne sont pas négligeables. […]

Curieusement, les questions morales sont peu abordées par les éthiques. […] Nous pourrions en suggérer quelques-unes. Quelle valeur morale ont les inégalités salariales dans l'entreprise ? Quelle importance donne-t-on à l'accueil des handicapés ? Le fait que le législateur ait dû imposer une loi avec ses quotas* est, sur ce point, très significatif. Quelles informations diffuse-t-on au personnel ? Que signifie le droit à la colère humiliante que s'attribuent certains présidents ? Quelles sont les pratiques effectives en matière de recrutement ? Toute évaluation doit se concentrer sur le détail des actes et non sur le contenu des discours. La morale se jouant entre les hommes, le recrutement en est un bon exemple. […]

La morale peut et doit se substituer au goût des éthiques multiples. Pour le confirmer, il faut d'abord régler un problème de traduction. La « business ethic », est avant tout une série de règles de conduite, c'est-à-dire un règlement intérieur. En tant que telle, il ne faut lui affecter aucune moralité. Elle exerce une grande fascination sur les entreprises françaises car le régime des sanctions est beaucoup plus draconien ■ aux États-Unis qu'en France : là, la faute est affichée pour servir d'exemple ; ici, le licenciement est déguisé pour ne pas provoquer de remous. L'interdiction de la fauche ■ dans les hypermarchés, des détournements de matériel, des corruptions déguisées, de la divulgation de secrets ou du harcèlement sexuel ■ sont des règles de saine gestion, guère criticables. Ce ne sont pas des questions morales car elles ne sont pas posées, les réponses étant déjà toutes faites. Il en est de même pour ce qu'on appelle aujourd'hui l'« éthique des affaires », qui concerne davantage les relations avec l'extérieur, partenaires commerciaux, fournisseurs, clients, etc. Les règles édictées sont de pure gestion. Le problème moral commence au-delà, lorsqu'on risque de faire périr un sous-traitant ou qu'un délai de paiement va faire tomber un client. Ces questions sont laissées de côté si elles mettent en cause l'efficacité économique.

L'entreprise est un lieu de passage, pas le lieu de la vie. Notre existence individuelle s'y joue partiellement, notre conscience y séjourne. Nous pouvons attendre des entreprises plus de discrétion sur les valeurs dans les discours et plus de responsabilité dans les actes eux-mêmes.

Alain Etchegoyen, *La Valse des éthiques*, François Bourin, 1991.

REPÈRES

la subsidiarité : *(néologisme)* méthode qui consiste à faire traiter les problèmes au niveau hiérarchique le plus bas pour ne pas engorger les échelons supérieurs

une communication corporate : *(angl.)* une communication de groupe

une loi avec ses quotas : référence à la loi qui oblige les entreprises à recruter un certain nombre de handicapés

VOCABULAIRE

bien huilé : *(fig.)* très au point

un vivier : *(ici, figuré)* un réservoir

décliner : *(ici)* exploiter, développer un thème ou une idée, les traduire en slogans, en images, etc. ; mais « décliner » a aussi le sens de « baisser », « diminuer »

une variation sémantique : une variation de sens, de signification des mots

une variation sémiotique : une variation de la signification des signes

draconien : rigoureux, extrêmement sévère

la fauche : *(fam.)* le vol

le harcèlement sexuel : voir p. 12

S'INFORMER

1. Donnez un sous-titre à chaque paragraphe.

2. Quelles sont les différentes étapes du « management par les valeurs » ? Qui intervient à chaque étape ?

3. Qu'est-ce que la « business ethic » ? Quelle en est l'origine ? En quoi est-elle différente de la morale ?

4. Qu'appelle-t-on l'« éthique des affaires » ? Où, d'après l'auteur, s'arrêtent les préoccupation morales dans les affaires ?

ANALYSER COMPARER

5. Classez les valeurs sélectionnées par les directions d'entreprise selon les catégories suivantes : qualités professionnelles, qualités humaines individuelles, qualités humaines collectives.

6. À l'aide des exemples fournis dans le texte, expliquez les formules suivantes : « la vraie et bonne communication " conjugue ", elle ne " décline " pas », « l'entreprise est un lieu de passage, pas le lieu de la vie ».

7. Quelles critiques Alain Etchegoyen formule-t-il à l'encontre de l'éthique d'entreprise pratiquée aujourd'hui ? Partagez-vous son opinion ?

8. Analysez les différentes « questions morales » évoquées par l'auteur : en quoi soulèvent-elles de véritables problèmes moraux ? Pouvez-vous citer d'autres exemples empruntés à votre expérience ?

INFORMER

9. Si vous travaillez dans une entreprise, présentez son règlement intérieur (lorsqu'il existe de manière écrite) ou exposez les règles non explicites qui régissent les rapports de travail.

RECRUTEMENT : FORMALITÉS

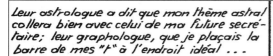

Leur astrologue a dit que mon thème astral collera bien avec celui de ma future secrétaire ; leur graphologue, que je plaçais la barre de mes "t" à l'endroit idéal ...

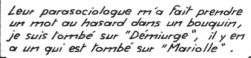

... leur numérologue, que je n'aurai une dépression qu'en 2048. Leur psychologue m'a fait poireauter avec d'autres candidats, j'ai tenu le plus longtemps, 7h20. Leur morphopsychologue a dit que mon nez était affectif ...

... leur parapsychologue, que sous hypnose j'avais répété trois fois "Vermeer" et "Lapin à la moutarde", le PDG adore ; leur chirophysiosociologue, que je mourrai à 98 ans.

Leur parasociologue m'a fait prendre un mot au hasard dans un bouquin, je suis tombé sur "Démiurge", il y en a un qui est tombé sur "Mariolle".

Et leur cardiologue a jeté une grenade au plâtre dans la salle d'attente, j'ai été le plus stoïque. Bref, je n'en peux plus, mais je suis engagé. Je me demande tout de même si j'ai bien fait de signer pour ce job ?

Pourquoi ?

Ils dynamisent leurs cadres en les faisant sauter à l'élastique, marcher sur des braises et avaler des scorpions.

Frémond

VOCABULAIRE

coller avec : *(fam.)*
correspondre à

poireauter : *(fam.)*
attendre

un mariolle : *(pop.)*
quelqu'un qui n'est pas sérieux
et qui veut se rendre intéressant

REPÈRES

l'astrologie : étudie
les thèmes astraux

la numérologie : étudie les
chiffres de la date de naissance,
etc., et en déduit des prédictions

la morphopsychologie :
étudie les traits du visage et en

tire des conclusions
sur le caractère

la parapsychologie : étudie
des phénomènes marginaux tels
que les rêves, etc.

la chirophysiosociologie :
(néologisme) étudie les

comportements à partir des
lignes de la main et des traits
du visage

le parasociologue :
(néologisme) celui qui étudie
les comportements sociaux
à la limite de la normalité

ÉTHIQUE : LA RÉPONSE DES CADRES

S'INFORMER

1. Que révèlent les éléments graphiques de cette bande dessinée sur le héros : niveau de vie, goûts, milieu socio-culturel... ?

2. Quelles formalités de recrutement ce cadre a-t-il subies ?

3. Quels sentiments exprime le candidat durant son récit ?

APPRÉCIER

4. En quoi réside l'humour de cette planche ?

ANALYSER COMPARER

5. Le portrait de l'entreprise qui a recruté ce candidat est-il vraisemblable ?

6. Comparez les méthodes décrites ici avec la mise en garde d'Alain Etchegoyen (voir p. 148) : tout est-il permis en matière de recrutement ?

INFORMER

7. Le responsable du recrutement de cette entreprise transmet le dossier de ce candidat au P-DG, accompagné de son avis et d'une courte note résumant le déroulement du recrutement (nature et objectifs des épreuves, intervenants, résultats obtenus, attitude du candidat) : rédigez ces deux documents.

EXPLIQUEZ

8. Si vous travaillez dans une entreprise, choisissez un poste précis et expliquez la manière dont se déroule, pour cette fonction, la procédure de recrutement.

1. « Pour vous, l'institution d'un code d'éthique dans les entreprises, c'est aujourd'hui... »

Une nécessité ?	76 %
Une contrainte ?	2 %
Une mode, un gadget ?	17 %
Ne sait pas.	5 %

2. « Avez-vous le sentiment que, dans les entreprises françaises, on a de plus en plus, autant qu'avant ou de moins en moins recours à des pratiques qui ne respectent pas toujours les règles d'éthique et de déontologie ? »

De plus en plus	20 %
Autant	45 %
De moins en moins	30 %
Ne sait pas	5 %

3. « Selon vous, est-ce l'intérêt public ou l'intérêt de l'entreprise qui doit primer ? »

L'intérêt public	27 %
L'intérêt de l'entreprise	64 %
Ne sait pas	9 %

4. « Vous paraît-il normal ou pas qu'un salarié fasse passer ses convictions personnelles avant l'intérêt de l'entreprise dans laquelle il travaille ? »

Normal	17 %
Pas normal	78 %
Ne sait pas	5 %

5. « Quelles sont les professions où il serait important d'instituer et de faire respecter un véritable code d'éthique ? » (Plusieurs réponses possibles.)

1. Les journalistes	59 %
2. Les élus locaux	51 %
3. Les policiers	49 %
4. Les experts-comptables* et les commissaires aux comptes*	46 %

Enquête effectuée par Ipsos auprès de 401 cadres dirigeants pour la revue Dynasteurs *en août 1991.*

Dynasteurs, septembre 1991.

S'INFORMER

1. Dans quel contexte a eu lieu l'enquête ?

ANALYSER COMPARER

2. Quelles sont les réponses qui mettent le mieux en évidence le besoin d'éthique des cadres français ?

3. Quelles autres questions aurait-on pu poser aux cadres interrogés ?

4. Pensez-vous que les responsables des entreprises de votre pays réagissent de la même manière ?

INFORMER

5. Rédigez le commentaire de ce tableau.

6. Si vous travaillez dans une entreprise, répondez à ce questionnaire. Regroupez vos réponses avec celles des autres élèves de la classe et comparez-les à celles des cadres supérieurs français.

REPÈRES

un expert-comptable : spécialiste qui organise et vérifie les comptabilités, en particulier pour les entreprises

un commissaire aux comptes : expert qui certifie la comptabilité d'une société anonyme pour le compte de ses administrateurs

LA NOUVELLE DÉLINQUANCE EN COL BLANC

Passation illicite, à partir d'une banque américaine, d'un virement de 80 millions de francs sur un compte à Zurich… Arrestation du gang des yaourts où informaticiens et magasiniers revendaient les desserts prédatés… Détournement d'heures d'ordinateur pour exploiter en pirate un centre serveur d'horoscopes… Les malveillances et autres fraudes utilisant les ordinateurs sont de plus en plus nombreuses : elles pesaient, selon le Clusif (Club de la sécurité informatique français), près de 6 milliards de francs en 1991, soit une croissance de 28 % par rapport à 1990 ! Dans cette criminalité *new look* ▪, les piratages d'informations arrivent en tête (36,8 % des cas selon une étude [...] réalisée en 1989). Ils sont suivis de près par la copie de logiciels (31,6 %) et les détournements de fonds (26,3 %). Les destructeurs de logiciels – ce sont les fameux virus qui aiment tant les nuits de pleine lune et les vendredi 13 – se placent quant à eux bons derniers avec seulement 5,3 %.

Qui sont les « criminels » ? Les informaticiens de l'entreprise d'abord (42 %), contre 15,8 % pour les clients ou les concurrents et 21,1 % pour les *hackers.*

Les *hackers,* ce sont les taggers de l'écran, dont le sport favori est d'entrer sur les réseaux : plus c'est difficile, plus ils sont contents. Direction : les banques (23,36 % des sinistres) ou les entreprises industrielles (21,5 %). Envolée exponentielle ▪ de l'information, dématérialisation des biens et de l'argent en particulier, développement des télécommunications et banalisation de l'ordinateur, les raisons de la criminalité informatique sont multiples. Mais que faire ? Réponse : mettre en place un « esprit de sécurité », qui doit être impulsé par le chef d'entreprise. Même s'il doit nommer un responsable de la sécurité qui est la plupart du temps un informaticien, le P-DG ne doit ni déléguer entièrement ni ignorer les risques liés au banditisme de l'information.

Point clé de la sécurité informationnelle : faire en sorte que chacun à son niveau soit conscient de l'importance de ses propres informations.

Andrée Muller, *L'Entreprise,* n° 79, avril 1992.

S'INFORMER

1. Notez les informations fournies dans cet article en les reportant sur une grille comme celle-ci :

Type de criminel	% des délits	Forme du délit

2. Relevez les causes du banditisme informatique.

ANALYSER COMPARER

3. Aux causes citées dans l'article, pouvez-vous ajouter d'autres facteurs ?

4. Cette « délinquance en col blanc » n'est pas un phénomène nouveau : sous quelle forme s'exprimait-elle lorsque l'informatique n'existait pas encore ?

INFORMER

5. Avez-vous constaté des problèmes de ce type dans votre entreprise ? A-t-on fait état de ce genre d'affaires dans votre pays ? Si non, pourquoi, à votre avis ? Si oui, présentez les cas les plus significatifs.

VOCABULAIRE

new look : (angl.) d'un genre nouveau, d'un nouveau style

une envolée exponentielle : une évolution, une progression, très rapides

VERS UN RETOUR DE LA MORALE ?

ANDRÉ COMTE-SPONVILLE[1] JUGE LE SOUCI D'ÉTHIQUE

DYNASTEURS. – **Comment un philosophe juge-t-il le souci éthique qui affleure depuis peu dans le milieu des affaires ?**

ANDRÉ COMTE-SPONVILLE. – Il existe une considérable tension entre ce qu'exige la morale et ce que demandent les lois du marché ou les intérêts de l'entreprise : l'éthique gêne continuellement le management. La marche des affaires n'est pas immorale, mais spontanément amorale… À chaque acteur de la vie économique d'affronter cette dualité. Tout en sachant que cette tension est tragique, au sens où Hegel* dit : « Le tragique, c'est quand les deux parties ont raison dans un conflit. » L'exigence morale a sa légimité dans son ordre, tout comme l'impératif économique – ou politique – a sa légitimité dans le sien. Et aucun de ces deux ordres ne peut légiférer sur l'autre. C'est pourquoi l'harmonie est si difficile entre l'homme privé et l'homme public. Michel de Montaigne* fut un bon maire de Bordeaux et un honnête homme, et pourtant il le reconnaît lui-même : « Le maire et Michel ont toujours été deux. »

DYNASTEURS. – **Comment se conduire alors dans les affaires ?**

ANDRÉ COMTE-SPONVILLE. – En honnête homme. Mais la vertu n'est sans doute pas le meilleur passeport pour la réussite sociale ! Si un homme d'affaires veut agir en salaud ■, il sera probablement beaucoup plus riche, mais là-dessus, la morale n'a rien à dire. Car le seul choix moral, c'est la vertu. Avoir un « problème » moral, c'est-à-dire s'interroger sur ce que l'on doit faire ou non, cela n'arrive pas tous les jours… Comme disait Alain*, « le seul problème avec le devoir, c'est de le faire ». Donc la vraie question, c'est de savoir si l'on est à la hauteur de sa morale. Or nous sommes toujours à mi-chemin entre le saint et le salaud…

DYNASTEURS. – **Certains pensent que suivre la loi suffit…**

ANDRÉ COMTE-SPONVILLE. – Mais la loi dit seulement ce qui est légal ou illégal. Pas du tout ce qui est moral ou immoral. Aucune loi n'interdit le mensonge (sauf en quelques circonstances) ; aucune loi n'interdit l'égoïsme, le mépris, l'avarice, etc. C'est à chacun de juger par lui-même…

DYNASTEURS. – **Le retour de la morale, est-ce seulement une mode ?**

ANDRÉ COMTE-SPONVILLE. – Ce n'est pas qu'une mode. Autrefois, disons jusqu'à la fin des années 70, la politique nous servait de morale. Ce qui masquait notre moralité de comportement ou qui en tenait lieu, c'était les grandes idéologies. Aujourd'hui, les discours messianiques, notamment marxistes, ont perdu de leur force. Tout comme la religion a cessé voici un siècle d'être une norme morale pour tout un peuple… Puisque nous avons perdu ces deux ordres de référence, puisque l'ordre scientifique refuse obstinément (et avec raison) de répondre à nos questions morales, nous sommes dans l'obligation d'y répondre par nous-mêmes. Voilà pourquoi il y a aujourd'hui ce retour de la morale sur le devant de la scène. Ou du moins du discours sur la morale. Mais il serait immoral de se contenter du discours…

Dynasteurs, septembre 1991.

1. André Comte-Sponville a notamment publié aux Presses Universitaires de France *Le Traité du désespoir et de la béatitude* (1. *Le mythe d'Icare*, 1985 ; 2. *Vivre*, 1988), *Une éducation philosophique*, 1990.

VOCABULAIRE

un salaud :

(populaire) une personne au comportement méprisable

REPÈRES

Hegel : (1770-1831) philosophe allemand

Michel de Montaigne : (1533-1592) écrivain français,

auteur des *Essais* ; magistrat, il fut aussi maire de Bordeaux

Alain : (1868-1951) philosophe et essayiste français

S'INFORMER

1. À quoi l'auteur attribue-t-il le regain d'intérêt pour la morale ?

ANALYSER COMPARER

2. Que pensez-vous de l'affirmation : « la vertu n'est pas le meilleur passeport pour la réussite sociale » ? Pouvez-vous citer des exemples à l'appui de votre opinion ?

3. « L'éthique gêne continuellement le management » : donnez des exemples concrets de tels conflits.

4. Quelle est la différence entre « immoral » et « amoral » ?

5. Pensez-vous que l'image que A. Comte-Sponville présente de la marche des affaires s'applique à votre pays ?

CONVAINCRE

6. Au cours d'une émission d'information économique, vous réunissez sur le plateau des chefs d'entreprise et des cadres dont certains sont partisans de l'« efficacité économique » et d'autres prônent une véritable « éthique des affaires ». Jouez le débat.

• • • • • • •

SYNTHÈSE

Présentez un compte rendu écrit des documents illustrant le thème : « L'éthique des entreprises : la "business-éthique." »

• • • • • • •

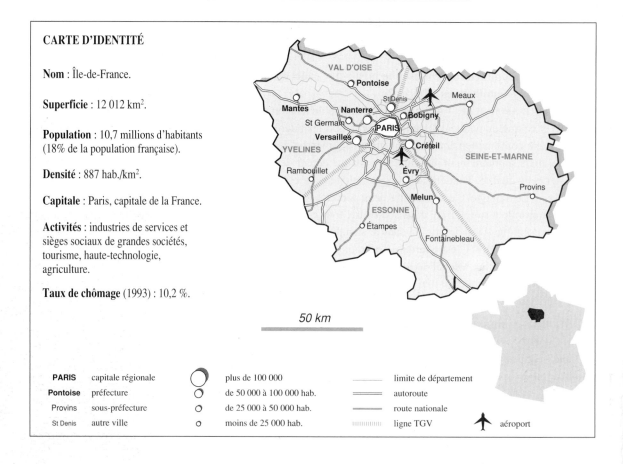

CARTE D'IDENTITÉ

Nom : Île-de-France.

Superficie : 12 012 km².

Population : 10,7 millions d'habitants (18% de la population française).

Densité : 887 hab./km².

Capitale : Paris, capitale de la France.

Activités : industries de services et sièges sociaux de grandes sociétés, tourisme, haute-technologie, agriculture.

Taux de chômage (1993) : 10,2 %.

50 km

PARIS	capitale régionale	◐	plus de 100 000	———	limite de département
Pontoise	préfecture	○	de 50 000 à 100 000 hab.	═══	autoroute
Provins	sous-préfecture	○	de 25 000 à 50 000 hab.	———	route nationale
St Denis	autre ville	○	moins de 25 000 hab.	⊞⊞⊞	ligne TGV ✈ aéroport

POUR UNE CROISSANCE PLUS HUMAINE

La première région de France est confrontée à deux grands défis. D'abord, permettre à ses 11 millions d'habitants (18 % de la population nationale) de vivre dans des conditions acceptables, et à ses innombrables activités de fonctionner d'une manière satisfaisante. D'autre part, valoriser ses atouts pour participer dans les meilleures conditions à la compétition entre métropoles internationales.

Le nouveau schéma directeur*, qui prévoit une population de 12,2 millions d'habitants en 2015, s'est fixé comme objectif de mieux rééquilibrer les lieux de travail et les zones d'habitation. [...]

Les responsables du SDAU (Schéma directeur d'aménagement et d'urbanisme) n'oublient pas que le bassin parisien ne se limite pas à l'Île-de-France, mais constitue un ensemble de 20 millions d'habitants qui mord sur le Centre, la Picardie, la Normandie et Champagne-Ardenne. Voilà pourquoi devront se constituer des réseaux de villes situées dans la grande périphérie de Paris : Orléans-Blois-Tours ; Reims-Châlons-sur-Marne ; Rouen-Caen-Le Havre, pour contrebalancer le pouvoir d'attraction parisien. Une telle ambition ne peut se concevoir sans un effort en matière de transports. Les déplacements ne cessent en effet de progresser (+ 60 % d'ici à 2015). Priorité donc aux transports collectifs, ce qui va exiger des sommes colossales : 55 milliards de francs d'ici à 2015 en Île-de-France pour la seule SNCF*, l'équivalent de son dernier chiffre d'affaires annuel ! [...] Ce vaste défi doit se réaliser, c'est promis, sans atteinte à la qualité de la vie : pas question

REPÈRES

un schéma directeur :
plan d'urbanisation et d'aménagement d'une région
la SNCF : voir p. 134

S'INFORMER

1. Quels sont les axes de développement prévus pour l'Île-de-France ?
2. Quel est le premier objectif du nouveau SDAU ?
3. À quel type d'infrastructures donnera-t-on priorité ? Pourquoi ce choix ?

ANALYSER
COMPARER

4. Pourquoi est-il important de constituer des « réseaux de villes » périphériques à la région ? À quelles conditions de tels réseaux peuvent-ils fonctionner ?

5. Qu'est-ce qui peut motiver la direction européenne d'une société multinationale à choisir de s'installer dans une métropole plutôt que dans une autre ?

de sacrifier les 600 000 hectares de terres agricoles ni les 270 000 de forêts et de bois de l'Île-de-France qui seront placés « sous haute surveillance ». Mais la région ne perd pas de vue son deuxième impératif : rester dans la compétition pour demeurer l'une des capitales de l'Europe, au moment où Londres, Bruxelles et Berlin affirment leurs ambitions. Les progrès des infrastructures de transport vers l'extérieur vont dans ce sens. Déjà première ville de congrès au monde, Paris pourra confirmer ses prétentions : recevoir les directions européennes des sociétés multinationales que toutes les grands métropoles s'efforcent de séduire.

Atlas 1993, L'Entreprise, n° 86, novembre-décembre 1992.

L'AMÉNAGEMENT
DE L'ÎLE-DE-FRANCE

Un « livre blanc »* destiné à préparer le nouveau schéma directeur de l'Île-de-France vient d'être publié. Dans le cadre de l'émission « Le téléphone sonne », un plateau* composé de deux élus locaux, Pierre-Charles Krieg et Yannick Bodin (conseillers généraux) et d'experts ayant participé à l'élaboration de ce livre blanc, comme Michel Rousselot et Pierre Pomelet, a été réuni.

REPÈRES

un « livre blanc » : recueil de documents officiels publié pour informer l'opinion
un plateau : *(ici)* l'ensemble des participants réunis pour

une émission de radio ou de télévision
un Francilien : un habitant de la région Île-de-France

ÉCOUTEZ

1. Notez le ton du journaliste pour présenter son sujet ainsi que la masse d'informations qu'il fournit sur le développement de la région Île-de-France. Quelle indication cela vous donne-t-il sur l'émission à venir ?

S'INFORMER

2. Relevez les informations qui situent l'importance exceptionnelle de la région Île-de-France.
3. Quels sont les thèmes du livre blanc sur l'Île-de-France évoqués ici ?
4. Quels sont, pour l'auditeur qui intervient sur l'antenne, les inconvénients du développement des moyens de transport routier ? Quelle autre solution suggère-t-il pour « décongestionner » la région ?

5. Quelles sont les trois objections que lui opposent les invités ?

ANALYSER
COMPARER

6. Relisez les documents consacrés à la ville et à l'automobile (voir pp. 88, 94 et 96). Comparez la solution envisagée pour l'Île-de-France à celles d'autres pays européens : cette solution va-t-elle dans le sens d'une augmentation ou d'une diminution du nombre de voitures dans le centre de Paris ?

INFORMER

7. Quels problèmes se posent à la capitale de votre pays ? Quelle évolution prévoit-on pour cette ville et sa région ?

Société

ILS ONT CHOISI D'ÊTRE DES « RURBAINS · »

Apparue à la fin du XXe siècle en Île-de-France, l'espèce humaine des « rurbains de banlieue » tente de faire croire aux provinciaux et aux Parisiens, tribus indigènes et traditionnelles de l'Hexagone, qu'elle est en train d'inventer le mode de vie du XXIe siècle. [...]

Le rurbain de banlieue n'est pas allé s'installer dans ces *no man's land* · de la civilisation parce qu'il ne pouvait faire autrement, faute d'argent, d'imagination ou de temps (pour trouver à Paris un grand appartement-pas-cher-et-ensoleillé, par exemple). Non ! Il a choisi la banlieue par goût, parfois par défi ; rarement par provocation, mais ça arrive : alors on plébiscite Saint-Denis* quand les parents habitent Passy*, ou Le Vésinet* quand la famille n'a jamais pu sortir de Barbès*. Mais, généralement, le rurbain de banlieue décide de passer de l'autre côté du périf · pour le plaisir. Parce qu'il aime la banlieue.

Il y a de quoi être épaté ·. L'amour de la banlieue est souvent le fruit d'un patient travail de la raison, il ne faut pas le nier, même s'ils le nient presque tous. La décision de s'exiler hors de Paris correspond parfois à un vieux fantasme, mais ne se prend tout de même qu'après de longs débats houleux et tortueux : car si l'on veut la banlieue, encore faut-il qu'elle ne répugne pas aux autres membres de la famille. [...] Avant de succomber aux charmes – discrets* ou tapageurs – de la banlieue, il faut apprendre à surmonter sa peur, ou celle de son conjoint et de ses amis. [...]

Peur, donc, de s'évader du grand cocon intrapériphérique. Peur des distances : métro-boulot-dodo plus le train, le RER* ou les embouteillages, n'est-ce pas trop pour un seul être humain ? Oui, mais le soir nous humerons ensemble l'effluve des roses ou des lilas… Peur que les copains ne désertent. Peur de déchoir. Peur du voisinage à cancans, du désert affectif, de l'insécurité, etc. En fait, quand ils ne sont pas acculés, pour des raisons économiques, à émigrer, les Parisiens doivent accomplir un vrai travail de deuil · pour se mettre dans leur peau de banliеusards : plus de bistrots, plus de bar-tabac au coin de la rue, plus de crottes de chien sur les trottoirs, plus de concerts de klaxons, plus de foule, plus de carrefours dangereux pour les enfants, plus de restos · chinois, turcs, italiens entremêlés aux fast-foods ·.

Une fois installés, les rurbains de banlieue développent trois types d'attitude. La raisonnable : « Si on m'agresse dans un salon, j'explique. » La militante : « C'est nul d'habiter Paris ! » Et la complexée : « Nous avons une vie beaucoup plus équilibrée qu'avant, les enfants surtout… » [...]

« Quand on invite des Parisiens à dîner à la maison, je suis d'abord obligé de justifier mon adresse, pourquoi j'habite Asnières, le quatrième enfant, le vélo dans le jardin, etc. Puis j'envoie un plan, mais les gens ne savent pas très bien lire les plans. Ils s'engueulent dans la voiture. Ils arrivent toujours en retard et de très mauvaise humeur. Ils nous félicitent sur la taille de notre jardin en contemplant la plate-bande de devant, et ne veulent pas aller voir le vrai jardin : trop d'herbe et de boue, puis s'écroulent dans les fauteuils en s'exclamant : « Ouf ! Quelle aventure ! » Rien ne pouvait faire plus plaisir à leurs hôtes. Les rurbains de banlieue sont tout de même des aventuriers et ils aiment ça.

Jacqueline Remy, *Géo*, n° 153, novembre 1991.

VOCABULAIRE

un « rurbain » : mot-valise formé de « rural » et « urbain » pour désigner les gens qui travaillent à Paris mais ont choisi de « s'exiler » pour vivre dans des maisons en banlieue

un *no man's land* : (angl.) (ici) zone neutre entre deux mondes

le périf : (abrév.) le périphérique, autoroute à huit voies qui ceinture la capitale

épater : étonner

un travail de deuil : (imagé) (ici) un renoncement accompagné de regrets

un resto : (fam.) (abrév.) un restaurant

un *fast-food* : un lieu de restauration rapide

REPÈRES

Saint-Denis : banlieue populaire du nord de Paris

Passy : quartier bourgeois de l'Ouest parisien

Le Vésinet : commune résidentielle et bourgeoise de la banlieue ouest de Paris

Barbès : quartier populaire du nord de Paris, où vit une importante population d'origine étrangère

les charmes discrets : allusion au titre d'un film de Luis Buñuel, *Le Charme discret de la bourgeoisie*

le RER : le Réseau express régional, réseau de transport par rail qui relie le centre de Paris à la proche et à la grande banlieue

Théâtre

LA MAISON
DU « FRANÇAIS SANS FRONTIÈRES »

TOUS LES FRANCOPHONES DU MONDE FONT DU THÉÂTRE À LA VILLETTE

S'INFORMER

1. D'après cet article, pour quelles raisons un Parisien choisit-il de s'installer en banlieue ?

2. Quels freins s'opposent à cette décision ? Relevez dans l'article toutes les expressions qui montrent combien cette décision est difficile.

3. J. Remy énumère tout ce à quoi un Parisien renonce quand il quitte la capitale : distinguez entre les attraits et les nuisances.

APPRÉCIER

4. Quels sentiments J. Remy semble-t-elle éprouver à l'égard des « rurbains de banlieue » ? Partage-t-elle leur opinion ?

ANALYSER
COMPARER

5. Expliquez les expressions : « les provinciaux et les Parisiens, tribus indigènes et traditionnelles de l'Hexagone », « le grand cocon intrapériphérique », « peur du voisinage à cancans ».

CONVAINCRE

6. « Pour ou contre habiter à la périphérie de la ville ? » Dans votre classe, les partisans de la ville et ceux de la banlieue s'affrontent au cours d'un débat.

REPÈRES

le parc de La Villette : situé au nord de Paris, ce parc abrite la Cité des sciences et de l'industrie

la Grande Halle : vaste halle, vestige des anciens abattoirs de La Villette, sur le terrain desquels est édifié aujourd'hui le parc de La Villette

Jack Lang : voir p. 123

ultramarine : *(néologisme)* adjectif renvoyant à « outre-mer » pour désigner les familles immigrées nombreuses dans la banlieue Nord de Paris

La belle aventure de Gabriel Garran, le Théâtre international de langue française, trouve enfin une maison et du matériel pour vivre sa vie. C'est dans ce parc de La Villette* où se font tant de choses neuves. Il faut longer la Grande Halle*, et c'est une demeure blanche et rouge, un peu comme les gares de campagne, autrefois, mais plus grande. Dedans, c'est un peu le calme et la poésie des isbas, parce que Garran a recouvert les parois de très beaux bois blonds.

C'est ici l'œcuménisme, si l'on peut dire : filles et garçons venus d'un peu partout, tout un monde. C'est la rencontre du « Théâtre international », que Gabriel Garran a créé en 1985, mais qui restait jusqu'à ce jour « sans domicile fixe ». L'idée de Garran, que Jack Lang* approuva, était de réunir, de confronter, les « natifs » de Montréal, d'Oran, de la Louisiane, de Dakar et d'autres terres qui s'expriment par un même langage : le « français sans frontières ». Le langage des jours et des nuits, ce n'est pas une grammaire et un vocabulaire. C'est toute une vision, toute une écoute, toute une imagination, toute une manière d'être aussi. Et il est passionnant de voir les libertés, les inventions, les

voix singulières de ce même langage de naissance, selon qu'il accompagne la vie à Saint-Pierre de la Martinique ou dans les montagnes Rocheuses. [...]

La maison toute neuve de ce Théâtre international de la langue française, qui depuis sept ans courait la campagne, ce pavillon de Charolais, est situé tout à côté d'une périphérie de Paris peuplée de familles « ultramarines* » qui ont le français pour mode d'expression, pour mode de vivre. Gabriel Garran a mis en œuvre plusieurs moyens d'animer, par l'art du théâtre, ces « francophones de proximité ». [...] Comment ne pas souhaiter des nuées de visiteurs (comblés) à cette attachante maison des francophones du théâtre ?

S'INFORMER

1. Quelles informations l'article donne-t-il sur le Théâtre international de langue française ?

2. Qu'est-ce qui caractérise le « français sans frontières » ?

INFORMER

3. Rédigez à votre tour la critique d'un théâtre de votre ville.

Michel Cournot, *Le Monde*, 24.2.1993.

CRÉDITS PHOTOGRAPHIQUES

P.7 : Dynasteurs; P.8 : Jerrican, Gaillard; P.9 : Pessin; P.10 : Gamma, Wildenberg; P.12 : The Image Bank, Chwast; P.14 : Gauvreau; P.15 : Sempé, Christianne Charillon; P.17 : Scope, Faure; P.18 : Cosmos, Spiegelhalter; P.20g : Sipa-Press, Dumas; P.20d : Arianespace; P.22 : Wolinski; P.25 : Gamma, Simon-Merillon; P.26-27 : The Image Bank, Till; P.29 : Charmet; P.31 : Gamma, Bassignac; P.33 : Scope, Sierpinski; P.35h : Jerrican, Labat; P.35b : Labat; P.39 : Gamma, Vioujard; P.40 : Gamma, Vioujard; P.43 : Crédit Agricole; P.45 : Wolinski, extrait de l'album "J'hallucine"; P.46 : Perrier; P.49 : Monoprix; P.50 Jerrican, Gordon; P.51 : OLympus; P.52 : Gîtes de France; P.53 : Sablonnières; P.55 : Scope, Guillard; P.56-57 : IBM et Artway; P.59 : The Image Bank, Romero Design; P.61 : Gamma, Saussier; P.62: The Image Bank, Rochipp; P.63 : Génia; P.64 : Pessin, extrait de "Tout fout le trac"; P.66 : Jerrican, Laguet; P.67 : Jerrican, Limier; P.69 : Jerrican, Bramaz; P.70 : Le Point; P.71 : Jerrican, Labat; P.73 : Le Point; P.74 : Jerrican, Gordons; P.75 : Jerrican, Gordons; P.76 : Pessin, extrait de "Tout fout le trac"; P.79 : Réa, Decout; P.81 : Scope, Sudres; P.83 : The Image Bank, Podevin; P.84 : Gamma, Quidu; P.85 : Gamma, Le Bot; P.87 : Jihu, lettre du CIM; P.88 : Gamma, Zebar; P.89 : Sempé, Christiane Charillon; P.90 : Explorer, Guillou; P.91 : Sipa-Image, Clopet; P.92-93 : Dosne, CEDEP; P.94 : Vial; P.95 : Collection Cat's; P.97 : Gamma, Le Bot; P.98h : Sabomcaya; P.98b : Méréo France; P.99 : Gamma, Gaillarde; P.100 : Rhône-Poulenc; P.102-103 : Jiho, lettre du CIM; P.105h : Scope, Sudres; P.105b : Conseil Régional de Bretagne; P.106-107 : Association des œuvres de Pen Bron; P.108 : Festival du film court de Brest; P.109 : Festival Interceltique de Lorient; P.111 : D.R.; P.113 : Tignous; P.114 : Collection Cat's; P.117 : Boll; P.118 : R.M.N.; P.121 : Festival de Cognac; P.122h : Francofolies de La Rochelle; P.122b : Festival Montpellier Danse; P.124 : Sygma, Annebicque; P.125 : Gamma, Voge; P.126 : Gamma; P.128 : Pernod Ricard, Orangina; P.130 : Gamma, Brylak; P.133 : Scope, Guillard; P.135 : Ecole Nationale de Danse de Marseille; P.137 : Cosmos, Menzel; P.138-139 : Secours Populaire Français; P.141 : Gamma, Daner; P.143 : The Image Bank, Melford; P.145h : L'Express; P.145b : Le Nouvel Observateur; P.147 : Gamma, Ducloux; P.148 : The Image Bank, Couch; P.150 : Frémond; P.152 : The Image Bank, Quon; P.155g : DR; P.155d : Lebrun; P.157 : Théâtre International de Langue Française.

Maquette et conception graphique : François Huertas
Composition et photogravure : Touraine Compo
Fabrication : Pierre David
Iconographie : Atelier d'Images
Edition : Françoise Lepage

N° d'Éditeur : 10130196 - Janvier 2006
Composition et photogravure : Touraine compo
Imprimé en Italie par BONA S.p.A.